하루 한 장 75일

집중 완성

교과 연산

B2

초2 덧셈과 뺄셈의 관계 / 곱셈식

변화를 정확히 이해해야 합니다.

수학의 기본이면서 이제는 필수가 된 연산 학습, 그런데 왜 우리 아이들은 많은 학습지를 풀고도 학교에 가면 연산 문제를 해결하지 못할까요?
지금 우리 아이들이 학습하는 교과서는 과거와는 많이 다릅니다. 단순 계산력을 확인하는 문제 대신 다양한 상황을 제시하고 상황에 맞게 문제를 해결하는 과정을 평가합니다. 그래서 단순히 계산하여 답을 내는 것보다 문장을 이해하고 상황을 판단하여 스스로 식을 세우고 문제를 해결하는 복합적인 사고 과정이 필요합니다.
그림을 보고 상황을 판단하는 능력, 그림을 보고 상황을 말로 표현하는 능력, 문장을 이해하는 능력 등 상황 판단 능력을 길러야 하는 이유입니다.

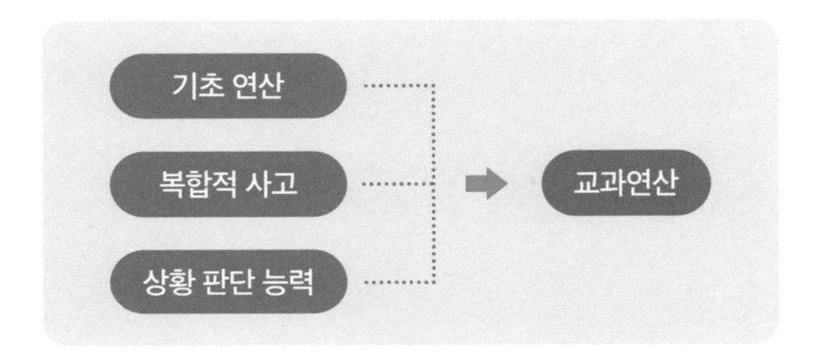

연산 원리를 학습함에 있어서도 대표적인 하나의 풀이 방법을 공식처럼 외우기만 해서는 지금의 연산 문제를 해결하기 어렵습니다. 연산 학습과 함께 다양한 방법으로 수를 분해하고 결합하는 과정, 즉 수 자체에 대한 학습도 병행되어야 합니다.
교과연산은 연산 학습과 함께 수 자체를 온전히 학습할 수 있도록 단계마다 '수특강'을 구성하고 있습니다.
계산은 문제를 해결하는 하나의 과정으로서의 의미가 큽니다.

학교에서 배우게 될 내용과 직접적으로 관련이 있는 교과연산으로 가장 먼저 시작하기를 추천드립니다.
요즘 연산은 교과 연산입니다.

"계산은 그 자체가 목적이 아닙니다. 문제를 해결하는 하나의 과정입니다."

하루 **한** 장, **75**일에 완성하는 **교과연산**

한 단계는 총 4권으로 수를 학습하는 0권과 연산을 학습하는 1권, 2권, 3권으로 구성되어 있습니다.

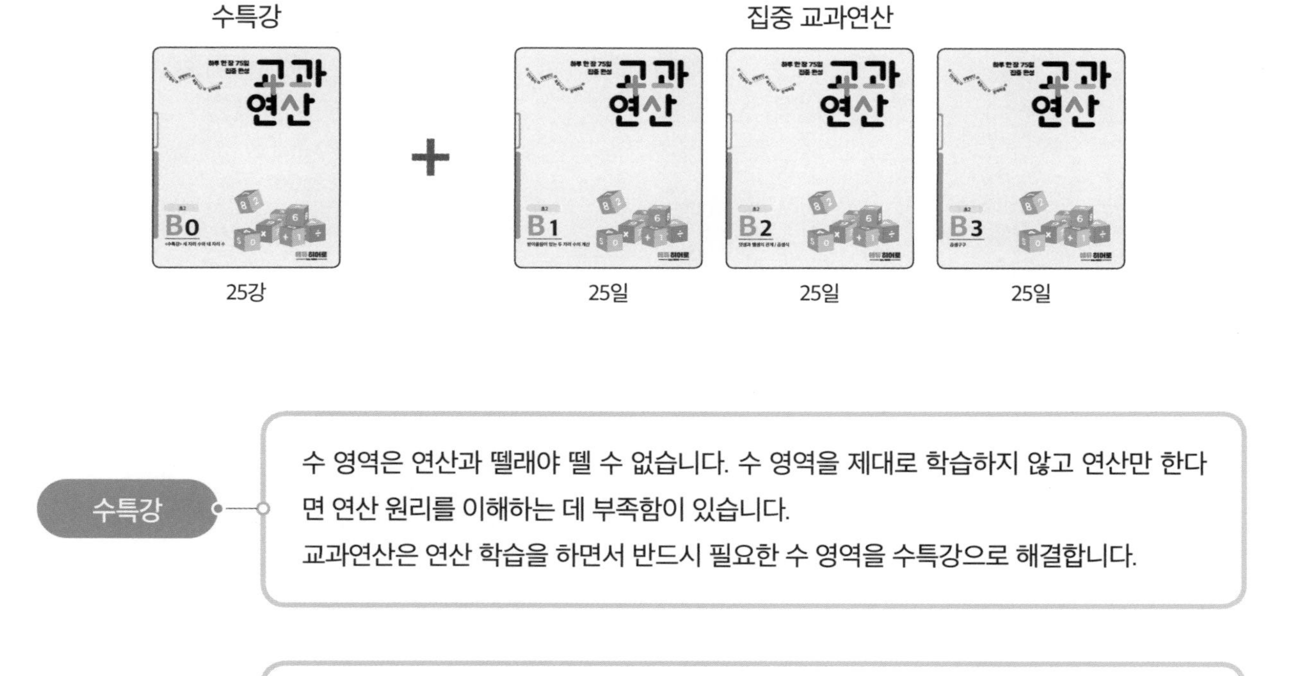

수특강

수 영역은 연산과 뗄래야 뗄 수 없습니다. 수 영역을 제대로 학습하지 않고 연산만 한다면 연산 원리를 이해하는 데 부족함이 있습니다.
교과연산은 연산 학습을 하면서 반드시 필요한 수 영역을 수특강으로 해결합니다.

교과연산

기초 연산도 합니다. 연산 원리를 이해하고 계산 연습도 합니다. 그에 더해서 교과연산은 다양한 상황 문제를 제시하여 상황에 맞는 식을 세우고 문제를 해결하는 상황 판단 능력을 길러줍니다.

"연산을 이해하기 위해서는 수를 먼저 이해해야 합니다."

원리는 기본, 복합적 사고 문제까지 다루는 교과연산

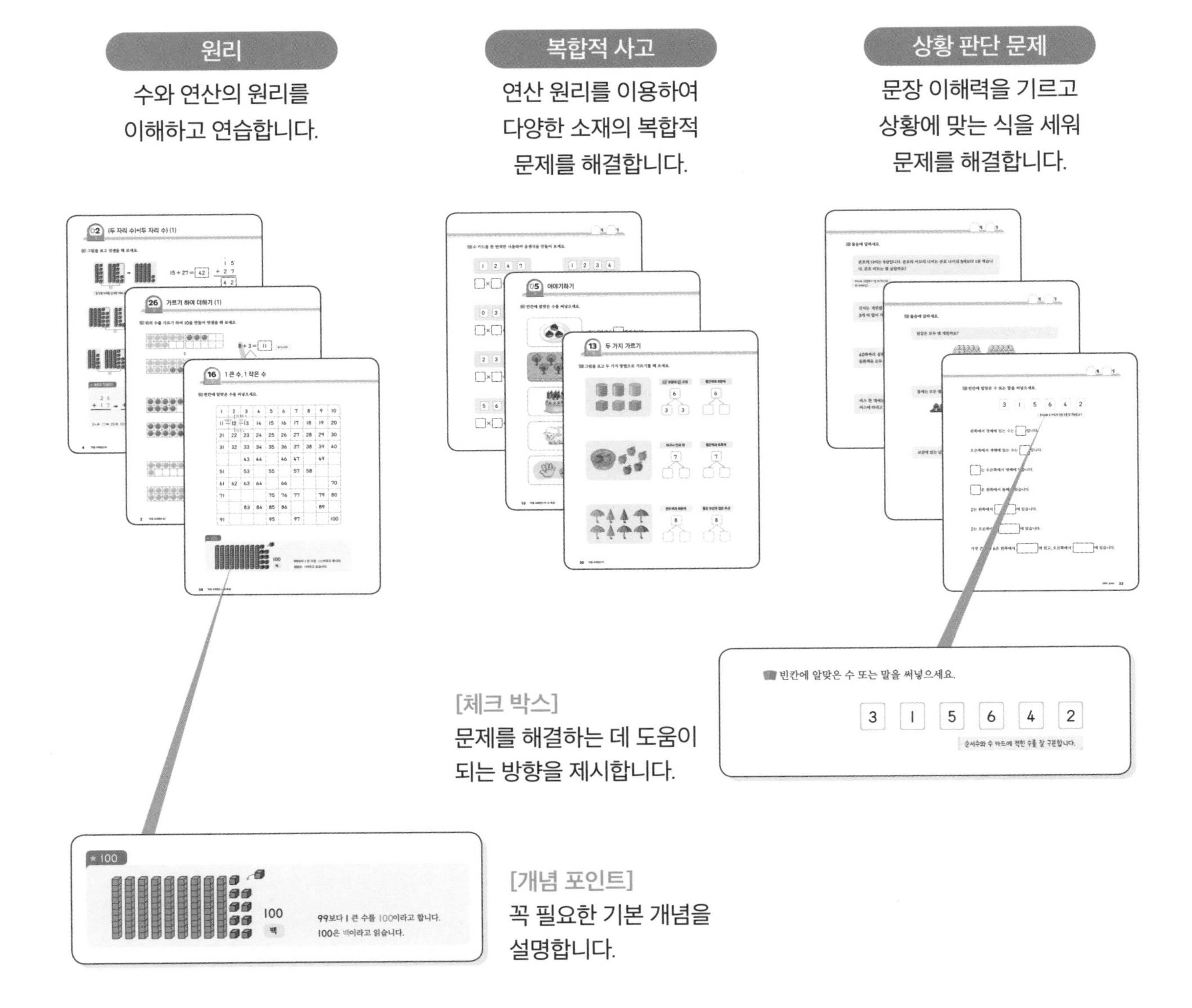
원리
수와 연산의 원리를
이해하고 연습합니다.
복합적 사고
연산 원리를 이용하여
다양한 소재의 복합적
문제를 해결합니다.
상황 판단 문제
문장 이해력을 기르고
상황에 맞는 식을 세워
문제를 해결합니다.
빈칸에 알맞은 수 또는 말을 써넣으세요.
3 1 5 6 4 2
순서수와 수 카드에 적힌 수를 잘 구분합니다.
[체크 박스]
문제를 해결하는 데 도움이
되는 방향을 제시합니다.
100
100
백
99보다 1 큰 수를 100이라고 합니다.
100은 백이라고 읽습니다.
[개념 포인트]
꼭 필요한 기본 개념을
설명합니다.

"교과연산은 꼬이고 꼬인 어려운 연산이 아닙니다.
일상 생활 속에서 상황을 판단하는 능력을 길러주는 연산입니다."

하루 **한** 장, **75**일 집중 완성 교과연산 **묻고 답하기** Q & A

Q1 왜 교과연산인가요?

지금의 교과서는 과거의 교과서와는 많이 다릅니다. 하지만 아쉽게도 기존의 연산학습지는 과거의 연산 학습 방법을 그대로 답습하고 변화를 제대로 반영하지 못하고 있습니다. 교과연산은 교과서의 변화를 정확히 이해하고 체계적으로 학습을 할 수 있도록 안내합니다.

Q2 다른 연산 교재와 어떻게 다른가요?

교과연산은 변화된 교과서의 핵심 내용인 상황 판단 능력과 복합적 사고력을 길러주는 최신 연산 프로그램입니다. 또한 연산 학습의 바탕이 되는 '수'를 수특강으로 다루고 있어 수학의 기본이 되는 연산학습을 체계적으로 학습할 수 있습니다.

Q3 학교 진도와는 맞나요?

네, 교과연산은 학교 수업 진도와 최신 개정된 교과 단원에 맞추어 개발하였습니다.

Q4 단계 선택은 어떻게 해야 할까요?

권장 연령의 학습을 추천합니다.
다만, 처음 교과 연산을 시작하는 학생이라면 한 단계 낮추어 시작하는 것도 좋습니다.

Q5 '수특강'을 먼저 해야 하나요?

'수특강'을 가장 먼저 학습하는 것을 권장합니다. P단계를 예로 들어보면 P0(수특강)을 먼저 학습한 후 차례대로 P1~P3 학습을 진행합니다. '수특강'은 각 단계의 연산 원리와 개념을 정확하게 이해하고 상황 문제를 해결하는 데 디딤돌이 되어줄 것입니다.

이 책의 차례

26일 ~ 30일

1주차 덧셈과 뺄셈의 관계

26 일 뺄셈식으로 나타내기

그림을 보고 빈칸에 알맞은 수를 써넣으세요.

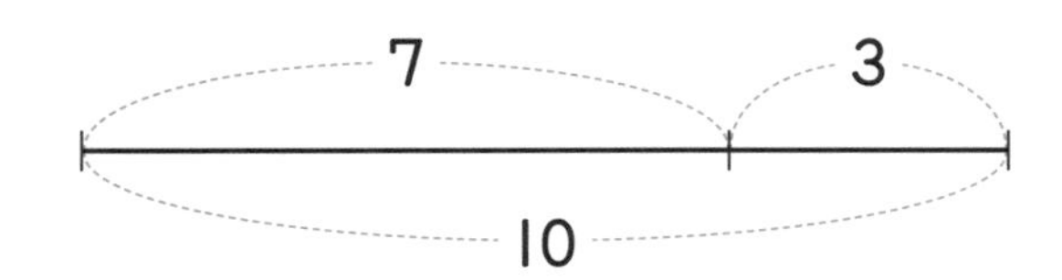

$7+3=$ [10]

$3+$ [ ] $=10$

$10-7=$ [ ]

$10-$ [ ] $=7$

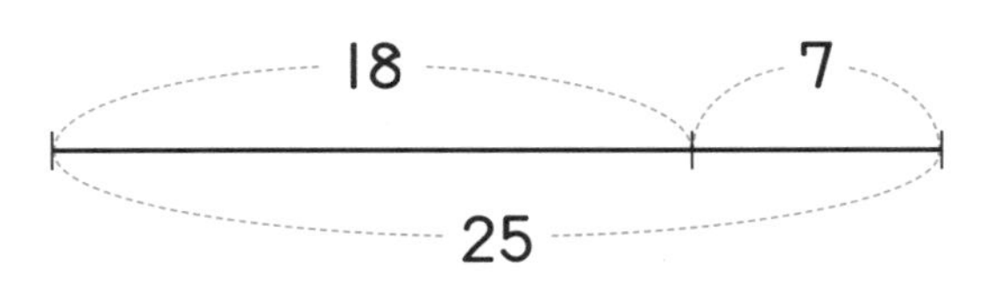

$18+7=$ [ ]

[ ] $+18=25$

$25-18=$ [ ]

[ ] $-7=18$

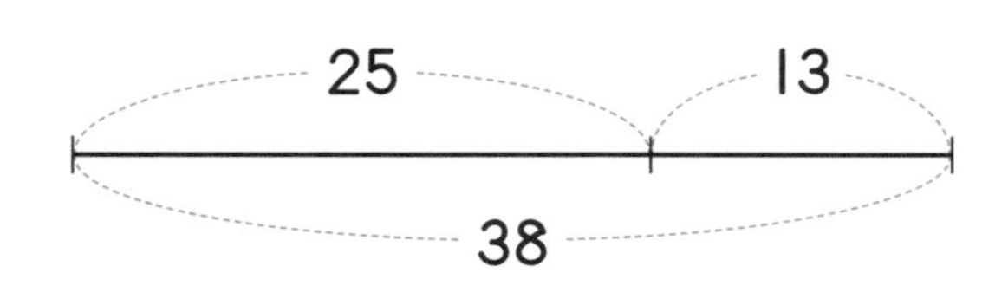

$25+13=$ [ ]

$13+$ [ ] $=38$

$38-25=$ [ ]

$38-$ [ ] $=25$

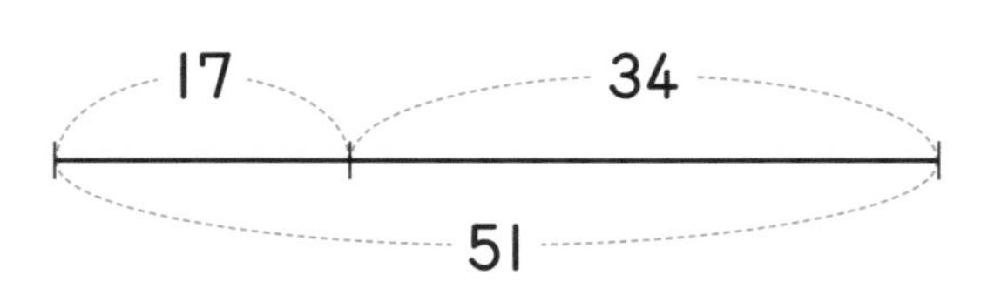

$17+34=$ [ ]

[ ] $+17=51$

$51-17=$ [ ]

[ ] $-34=17$

덧셈식을 뺄셈식으로 나타내어 보세요.

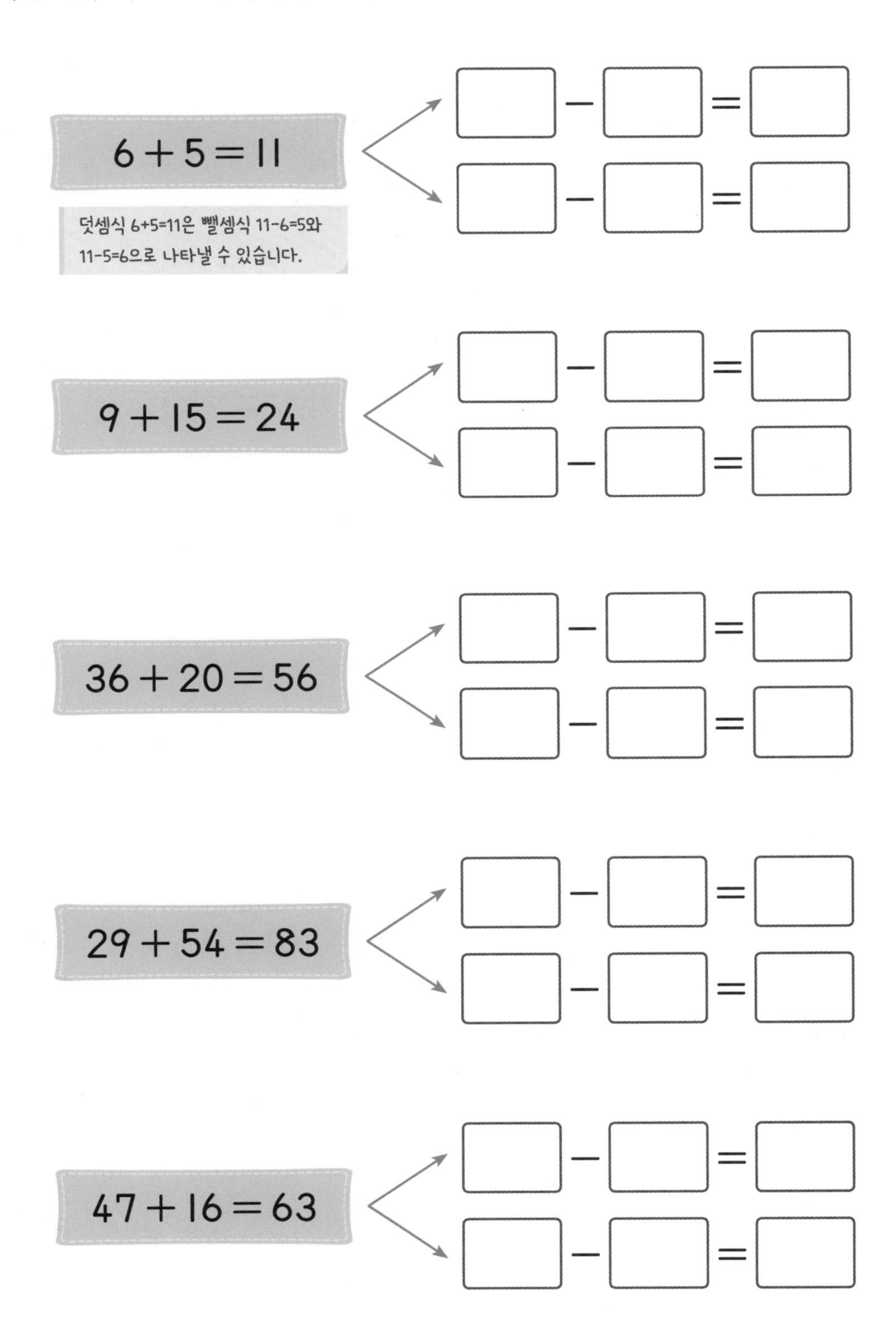

27 일 덧셈식으로 나타내기

그림을 보고 빈칸에 알맞은 수를 써넣으세요.

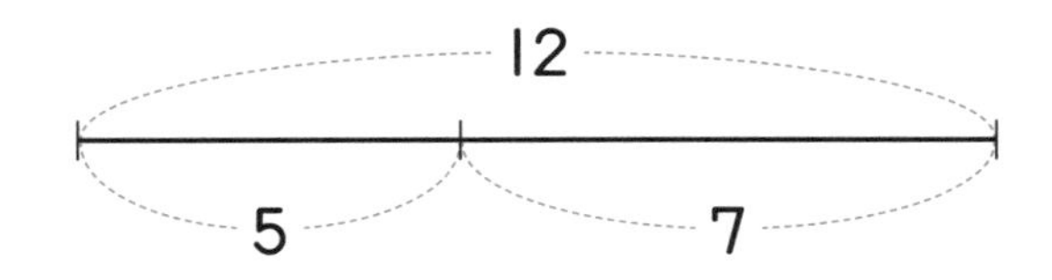

$12 - 5 = \boxed{7}$

$12 - \square = 5$

$5 + 7 = \square$

$7 + \square = 12$

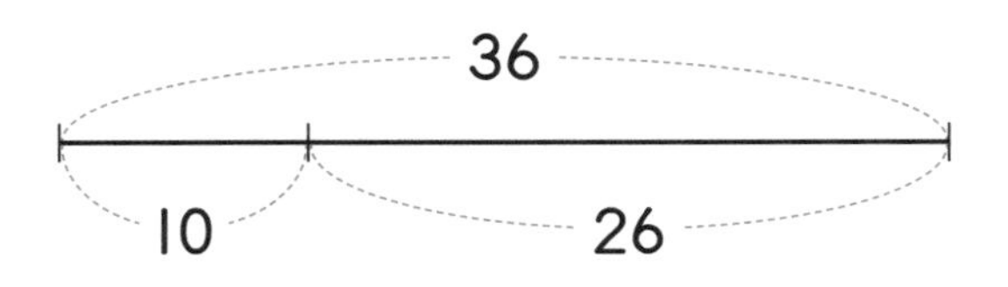

$36 - 10 = \square$

$\square - 26 = 10$

$10 + 26 = \square$

$\square + 10 = 36$

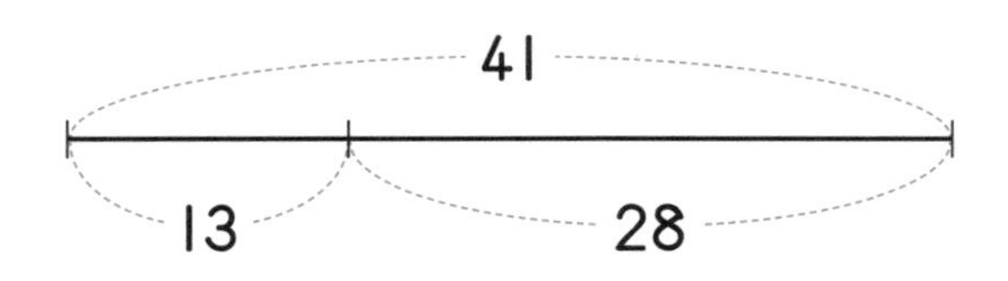

$41 - 13 = \square$

$41 - \square = 13$

$13 + 28 = \square$

$28 + \square = 41$

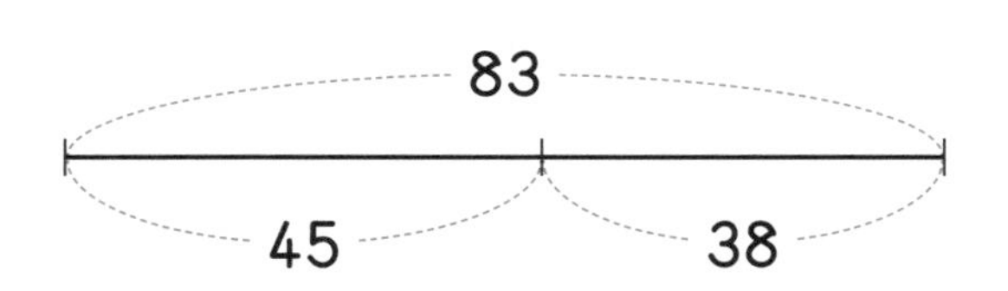

$83 - 45 = \square$

$\square - 38 = 45$

$45 + 38 = \square$

$\square + 45 = 83$

빼셈식을 덧셈식으로 나타내어 보세요.

$12-8=4$ → $\square+\square=\square$, $\square+\square=\square$

빼셈식 12-8=4는 덧셈식 4+8=12와 8+4=12로 나타낼 수 있습니다.

$26-7=19$ → $\square+\square=\square$, $\square+\square=\square$

$90-36=54$ → $\square+\square=\square$, $\square+\square=\square$

$53-28=25$ → $\square+\square=\square$, $\square+\square=\square$

$71-23=48$ → $\square+\square=\square$, $\square+\square=\square$

식 완성하기

세 수를 이용하여 덧셈식 또는 뺄셈식을 완성해 보세요.

$7 + \square = 15$

$8 + 7 = \square$

21 6 15

$21 - 15 = \square$

$21 - \square = 15$

$37 + 18 = \square$

$18 + \square = 55$

26 76 50

$76 - \square = 50$

$\square - 50 = 26$

25 51 26

$25 + \square = 51$

$26 + \square = 51$

16 67 83

$83 - 16 = \square$

$\square - 67 = 16$

식을 완성하고 뺄셈식 또는 덧셈식으로 나타내어 보세요.

$18 + 4 = \square$

$4 + \square = 22$

$\square - \square = \square$

$\square - \square = \square$

$13 + 57 = \square$

$\square + 13 = 70$

$\square - \square = \square$

$\square - \square = \square$

$37 - 21 = \square$

$\square - 16 = 21$

$\square + \square = \square$

$\square + \square = \square$

$81 - 62 = \square$

$\square - 19 = 62$

$\square + \square = \square$

$\square + \square = \square$

29 일 식 만들기

수 카드 3장을 한 번씩만 사용하여 덧셈식과 뺄셈식을 만들어 보세요.

3 12 9

$3 + 9 = 12$

$\square - \square = \square$

32 10 22

$\square + \square = \square$

$\square - \square = \square$

25 8 33

$\square + \square = \square$

$\square - \square = \square$

55 15 70

$\square + \square = \square$

$\square - \square = \square$

수 카드 3장을 한 번씩만 사용하여 덧셈식과 뺄셈식을 만들어 보세요.

36 16 52

56 17 73

57 95 38

29 68 39

이야기하기

빈칸에 알맞은 수를 써넣으세요.

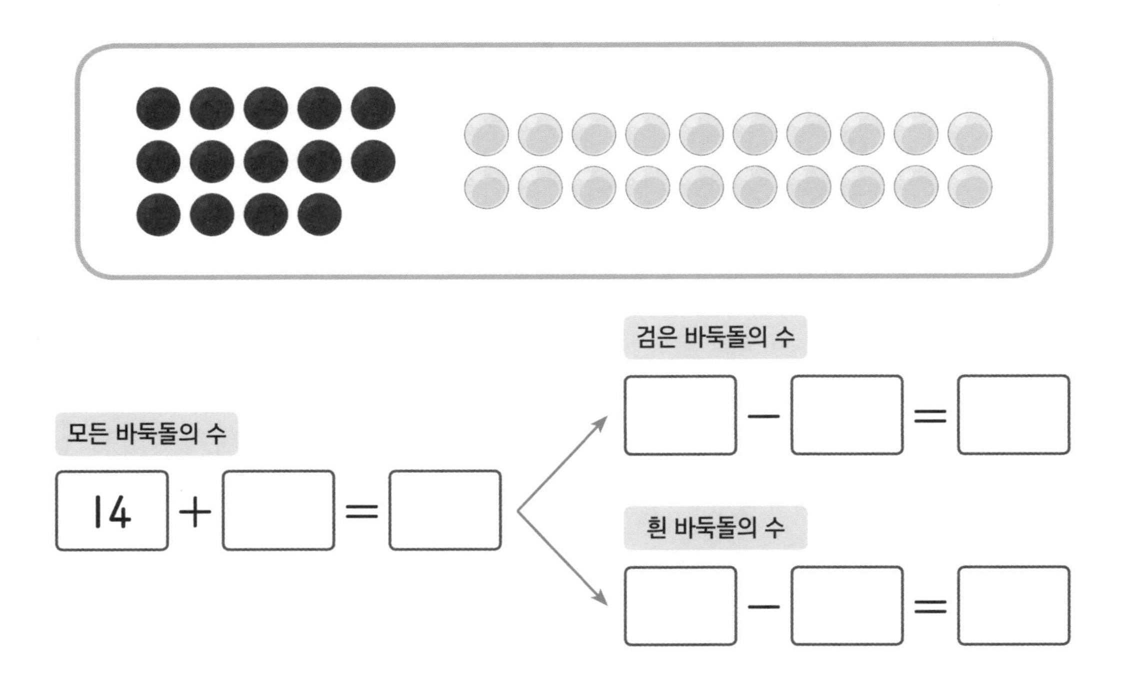

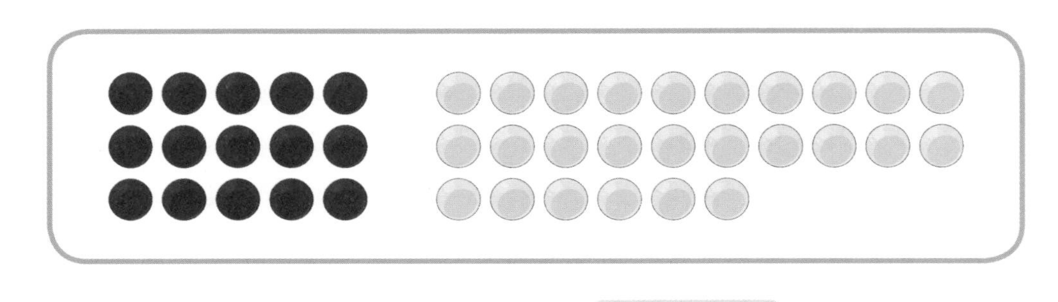

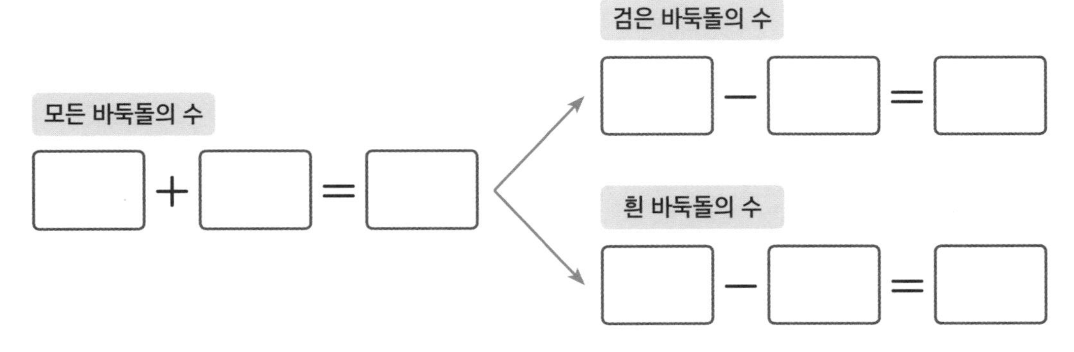

물음에 답하세요.

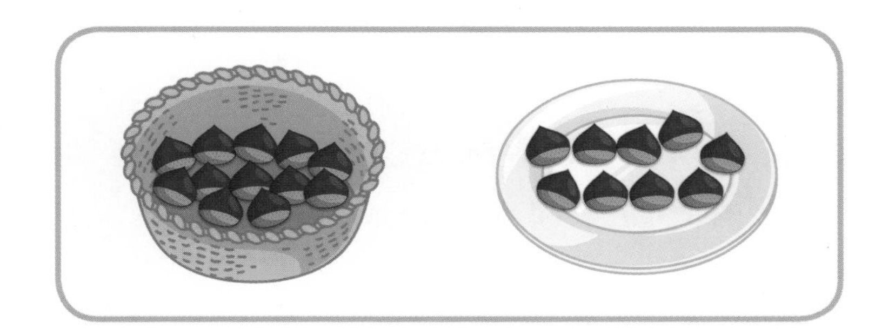

밤은 모두 몇 개인지 덧셈식으로 나타내어 보세요.

접시에 있는 밤은 몇 개인지 뺄셈식으로 나타내어 보세요.

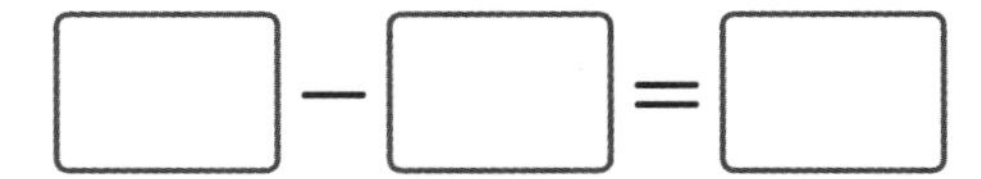

바구니에 있는 밤은 몇 개인지 뺄셈식으로 나타내어 보세요.

물음에 답하세요.

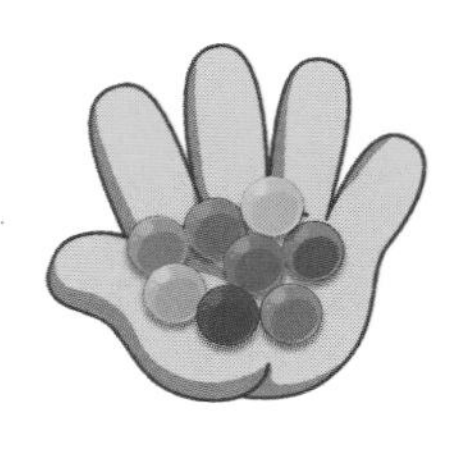

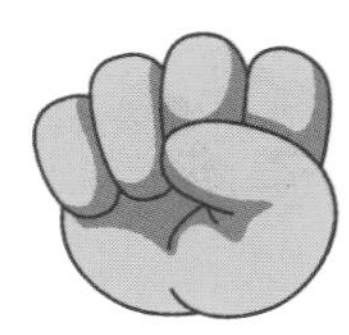

양손에 있는 모든 구슬	왼손에 있는 구슬
23개	8개

오른손에 있는 구슬은 몇 개인지 뺄셈식으로 나타내어 보세요.

$\square - \square = \square$

양손에 있는 구슬은 모두 몇 개인지 덧셈식으로 나타내어 보세요.

$\square + \square = \square$

왼손에 있는 구슬은 몇 개인지 뺄셈식으로 나타내어 보세요.

31일~35일

2주차 □가 있는 식

31일 그려서 □ 구하기

양쪽의 수가 같아지도록 빈 곳에 ○를 그리고 빈칸에 알맞은 수를 써넣으세요.

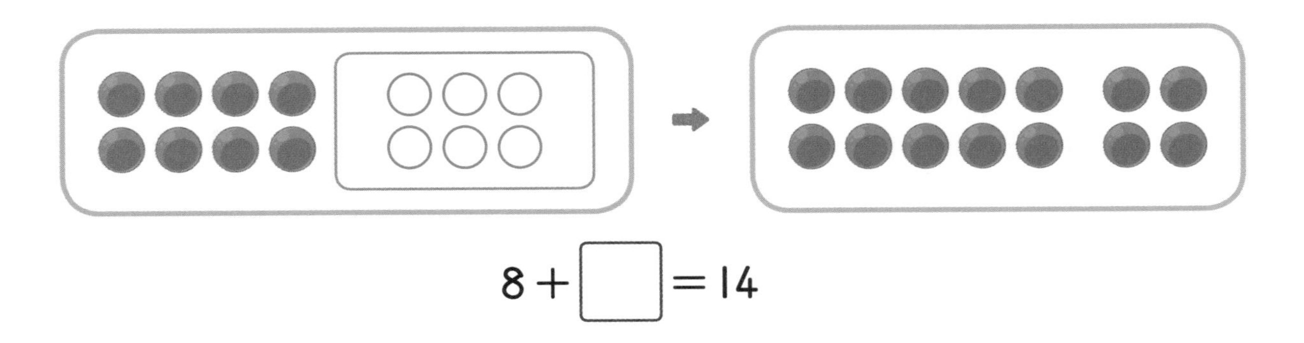

$8 + \square = 14$

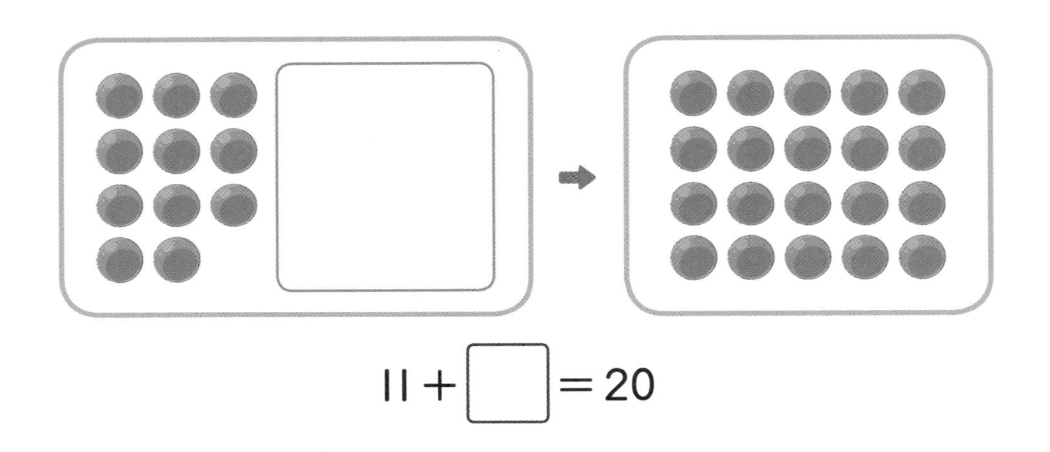

$11 + \square = 20$

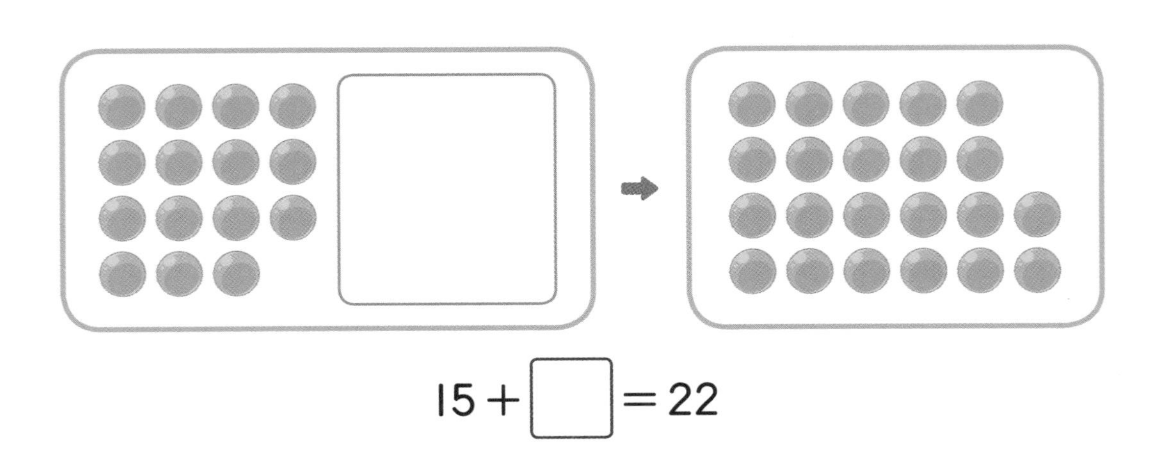

$15 + \square = 22$

양쪽의 수가 같아지도록 왼쪽 그림을 /로 지우고 빈칸에 알맞은 수를 써넣으세요.

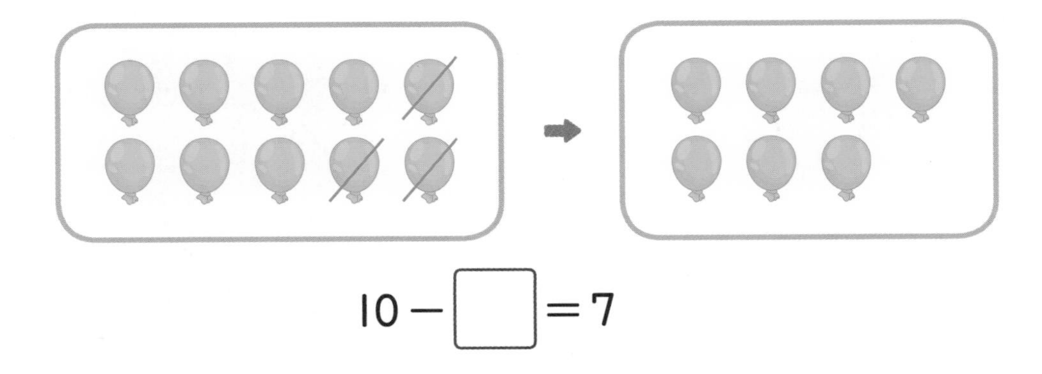

$10 - \square = 7$

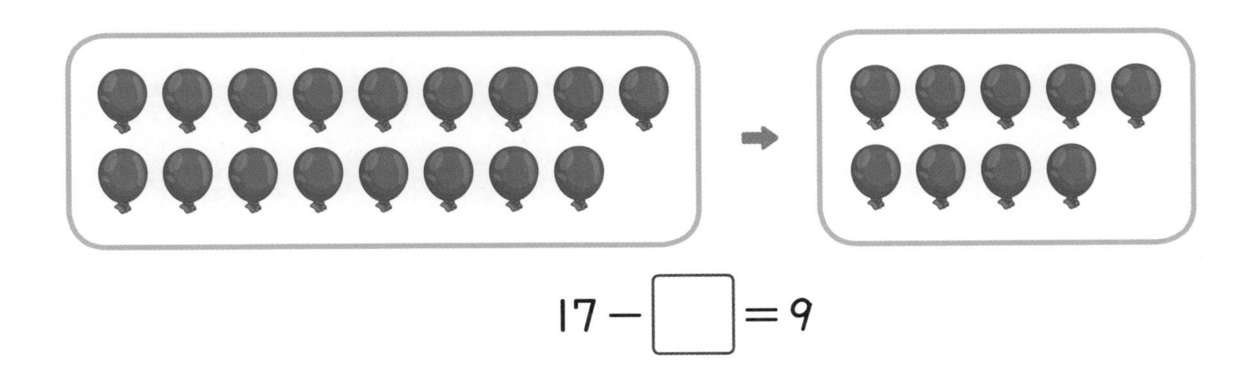

$17 - \square = 9$

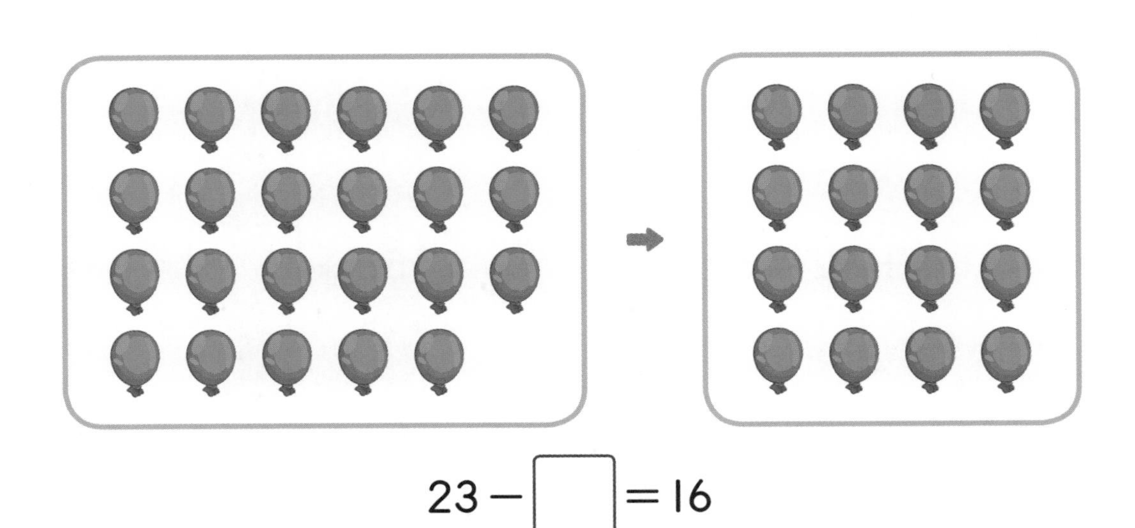

$23 - \square = 16$

32 일 덧셈과 뺄셈으로 □ 구하기

빈칸에 알맞은 수를 써넣으세요.

② $\boxed{18} + 5 = 23$

↓

$23 - 5 = \boxed{18}$ ①

□가 있는 덧셈식은 뺄셈식으로 바꾸어 □를 구합니다.

② $26 + \square = 34$

↓

$34 - 26 = \square$ ①

①을 구하고 ①의 값을 ②에 넣습니다.

$\square + 9 = 65$

↓

$65 - 9 = \square$

$46 + \square = 59$

↓

$59 - 46 = \square$

$\square + 42 = 80$

↓

$80 - 42 = \square$

$55 + \square = 84$

↓

$84 - 55 = \square$

빈칸에 알맞은 수를 써넣으세요.

② $\boxed{52} - 7 = 45$

↓

① $45 + 7 = \boxed{52}$

□가 앞에 있는 뺄셈식은
덧셈식으로 바꾸어 □를 구합니다.

② $62 - \boxed{} = 58$

↓

① $62 - 58 = \boxed{}$

□가 가운데 있는 뺄셈식은
또다른 뺄셈식으로 바꾸어 □를 구합니다.

$\boxed{} - 36 = 12$

↓

$12 + 36 = \boxed{}$

$70 - \boxed{} = 34$

↓

$70 - 34 = \boxed{}$

$\boxed{} - 14 = 73$

↓

$73 + 14 = \boxed{}$

$51 - \boxed{} = 35$

↓

$51 - 35 = \boxed{}$

33 일 □가 있는 식

빈칸에 알맞은 수를 써넣으세요.

$\square + 6 = 15$

→ 15-6=□

$\square - 9 = 9$

→ 9+9=□

$6 + \square = 32$

$45 - \square = 37$

$\square + 22 = 62$

$\square - 21 = 30$

$21 + \square = 43$

$47 - \square = 25$

$\square + 37 = 90$

$\square - 53 = 17$

$39 + \square = 85$

$52 - \square = 39$

$\square + 29 = 54$

$\square - 48 = 25$

그림을 보고 □를 사용하여 알맞은 식을 쓰고 답을 구하세요.

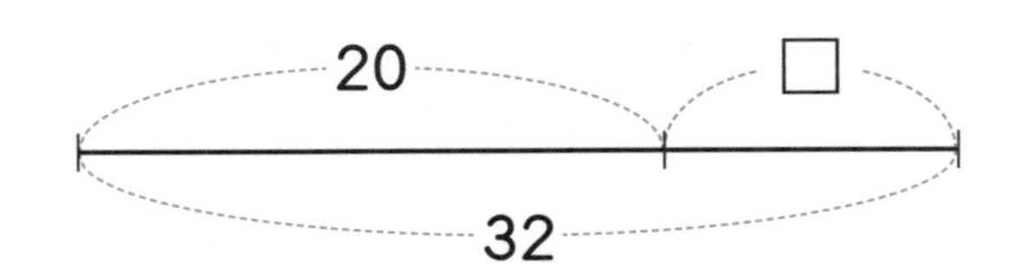

식 20 + □ = 32

답 12

20+□=32 → 32-20=□

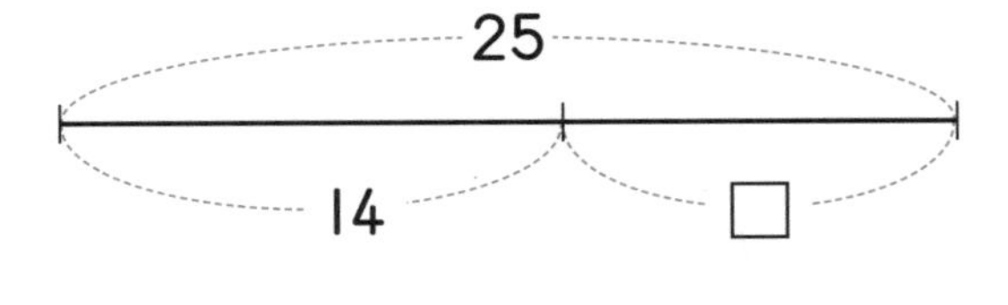

식

답

□를 사용한 식은 식의 앞 또는 가운데 수를 □로 나타내어야 합니다.

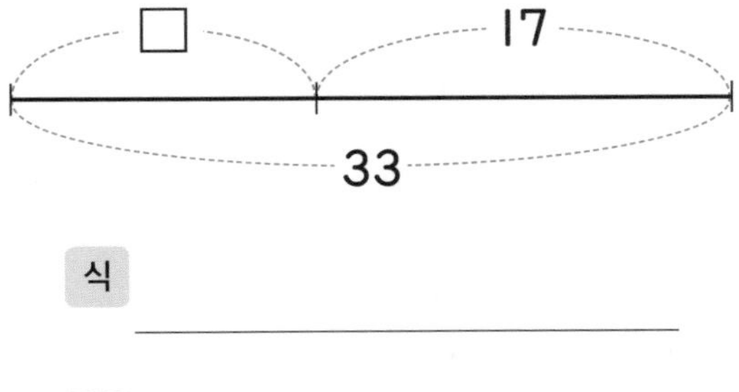

식

답

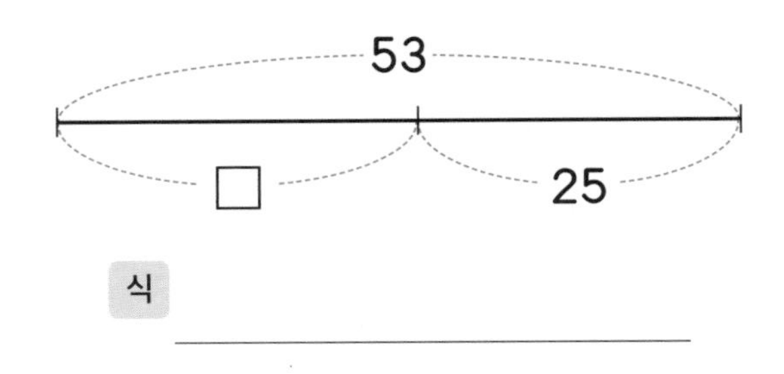

식

답

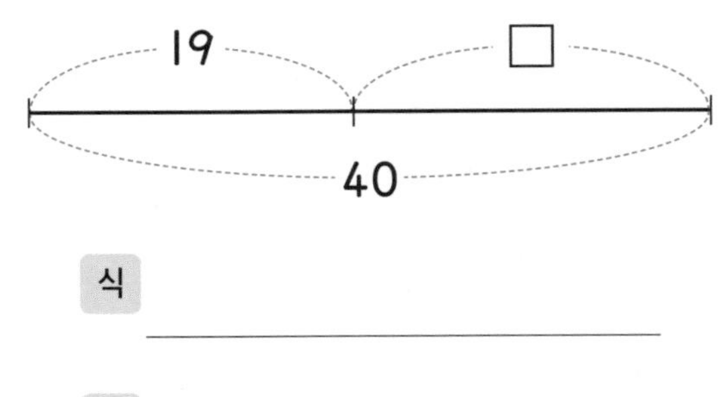

식

답

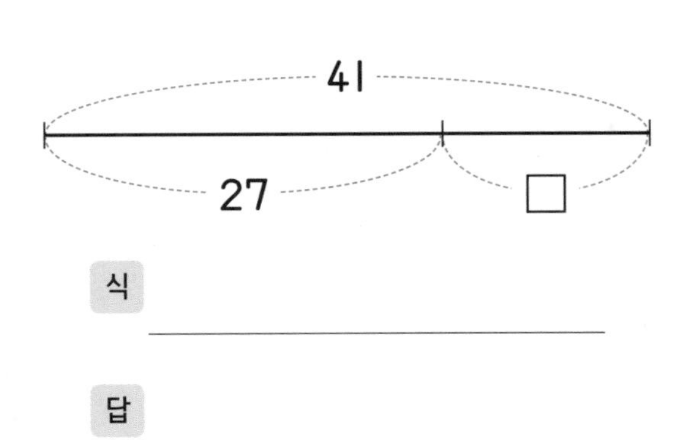

식

답

□를 사용한 식

물음에 답하세요.

50에서 어떤 수를 빼면 41입니다. 어떤 수를 □로 하여 식을 만들고 어떤 수를 구해 보세요.

□가 가운데 있는 뺄셈식은 또다른 뺄셈식 50-41=□로 바꾸어 구합니다.

식 50 − □ = 41 답 9

29와 어떤 수의 합은 34입니다. 어떤 수를 □로 하여 식을 만들고 어떤 수를 구해 보세요.

식 답

어떤 수에서 17을 빼면 37입니다. 어떤 수를 □로 하여 식을 만들고 어떤 수를 구해 보세요.

식 답

16과 어떤 수의 합은 42입니다. 어떤 수를 □로 하여 식을 만들고 어떤 수를 구해 보세요.

식 답

물음에 답하세요.

윤수는 사탕 15개를 가지고 있었는데 몇 개 더 샀더니 27개가 되었습니다. 윤수가 산 사탕은 몇 개인지 □를 사용하여 식을 만들고 답을 구해 보세요.

식 ______________ 답 ________ 개

연아는 색종이 46장 중에서 선물을 포장하는 데 몇 장 썼더니 29장 남았습니다. 연아가 사용한 색종이는 몇 장인지 □를 사용하여 식을 만들고 답을 구해 보세요.

식 ______________ 답 ________ 장

시후는 종이배를 34개 접었습니다. 50개를 접으려면 몇 개를 더 접어야 하는지 □를 사용하여 식을 만들고 답을 구해 보세요.

식 ______________ 답 ________ 개

냉장고에 달걀이 몇 개 있었는데 13개를 먹었더니 19개 남았습니다. 처음에 달걀은 몇 개 있었는지 □를 사용하여 식을 만들고 답을 구해 보세요.

식 ______________ 답 ________ 개

바르게 계산하기

물음에 답하세요.

어떤 수에 14를 더해야 할 것을 잘못하여 뺐더니 36이 되었습니다. 바르게 계산한 값을 구해 보세요.

잘못된 식을 세워 □를 구한 다음, 바르게 계산합니다.

잘못된 계산식 $\square - 14 = 36$ 어떤 수 50

올바른 계산식 $50 + 14 = 64$ 바르게 계산한 값 64

어떤 수에 8을 더해야 할 것을 잘못하여 뺐더니 18이 되었습니다. 바르게 계산한 값을 구해 보세요.

잘못된 계산식 어떤 수

올바른 계산식 바르게 계산한 값

어떤 수에서 20을 빼야 할 것을 잘못하여 더했더니 53이 되었습니다. 바르게 계산한 값을 구해 보세요.

잘못된 계산식 어떤 수

올바른 계산식 바르게 계산한 값

물음에 답하세요.

40에서 어떤 수를 더해야 할 것을 잘못하여 뺐더니 28이 되었습니다. 바르게 계산한 값을 구해 보세요.

잘못된 계산식 ______ 어떤 수 ______

올바른 계산식 ______ 바르게 계산한 값 ______

29에서 어떤 수를 빼야 할 것을 잘못하여 더했더니 56이 되었습니다. 바르게 계산한 값을 구해 보세요.

잘못된 계산식 ______ 어떤 수 ______

올바른 계산식 ______ 바르게 계산한 값 ______

63에서 어떤 수를 더해야 할 것을 잘못하여 뺐더니 49가 되었습니다. 바르게 계산한 값을 구해 보세요.

잘못된 계산식 ______ 어떤 수 ______

올바른 계산식 ______ 바르게 계산한 값 ______

물음에 답하세요.

어떤 수에서 7을 빼면 14입니다. 어떤 수에서 7을 더하면 얼마일까요?

(　　　　　　)

28에서 어떤 수를 더하면 36입니다. 28에서 어떤 수를 빼면 얼마일까요?

(　　　　　　)

어떤 수에서 14를 더하면 54입니다. 어떤 수에서 14를 빼면 얼마일까요?

(　　　　　　)

56에서 어떤 수를 빼면 50입니다. 56에서 어떤 수를 더하면 얼마일까요?

(　　　　　　)

어떤 수에서 23을 더하면 71입니다. 어떤 수에서 23을 빼면 얼마일까요?

(　　　　　　)

36일~40일

3주차 묶어 세기

36 일 묶어 세기

몇 개씩 묶어 세었습니다. 빈칸에 알맞은 수를 써넣으세요.

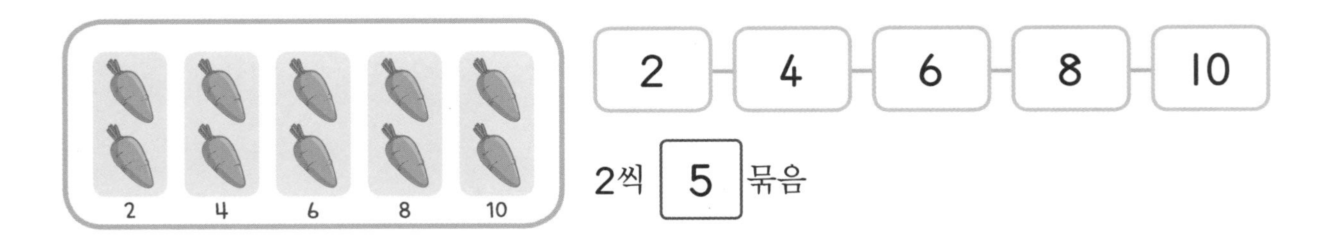

2씩 5 묶음

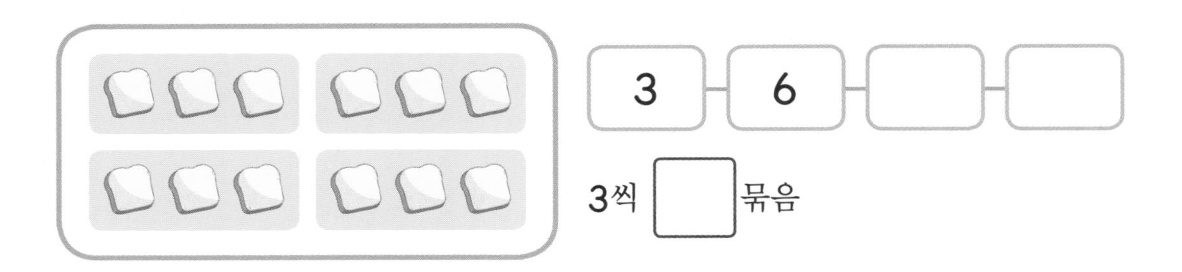

3씩 ☐ 묶음

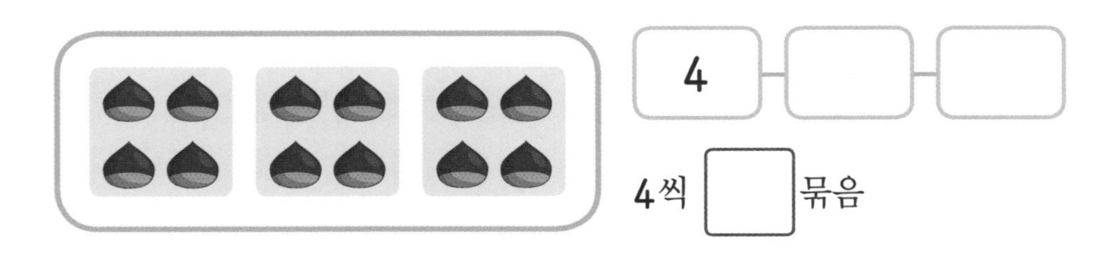

4씩 ☐ 묶음

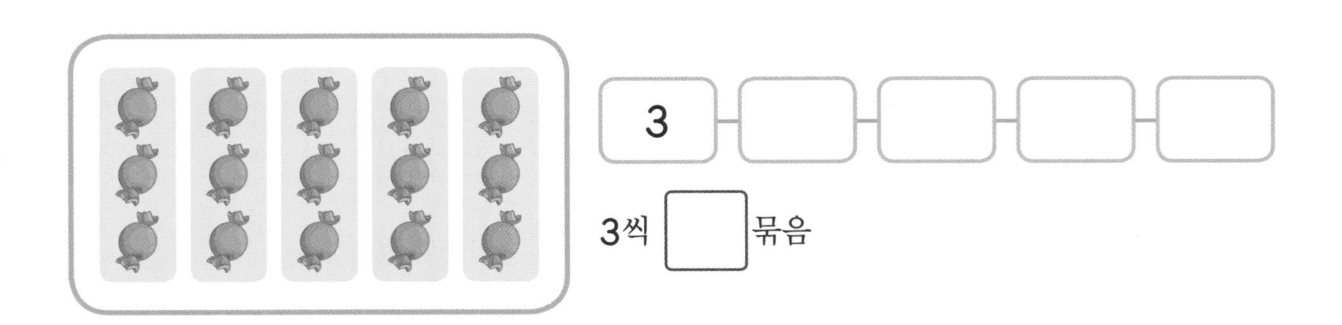

3씩 ☐ 묶음

알맞게 묶어 보고 빈칸에 알맞은 수를 써넣으세요.

2개씩 묶어 세기

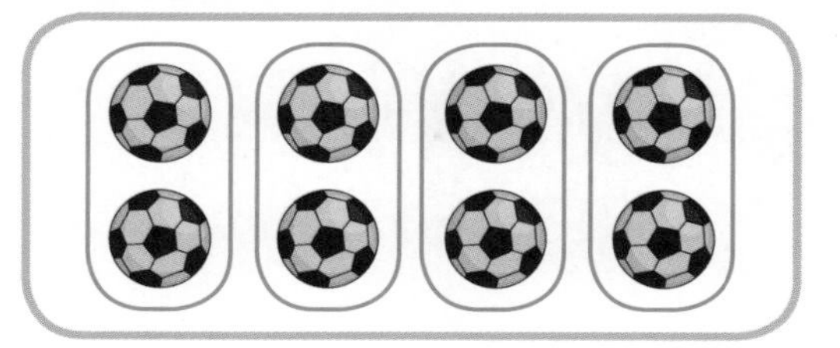

씩 묶음

3개씩 묶어 세기

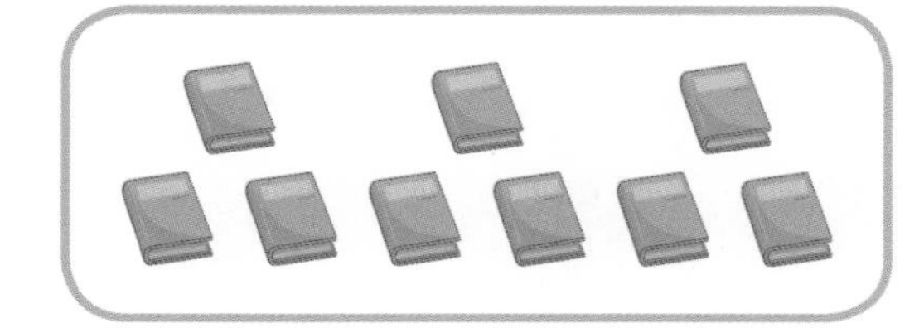

씩 묶음

4개씩 묶어 세기

씩 묶음

5개씩 묶어 세기

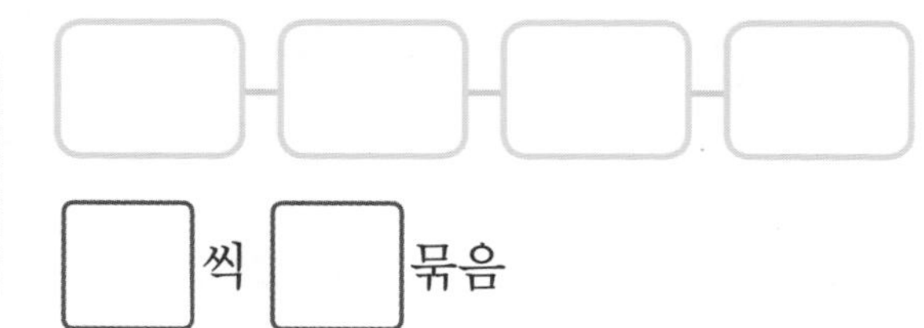

씩 묶음

37일 여러 가지 묶어 세기

빈칸에 알맞은 수를 써넣으세요.

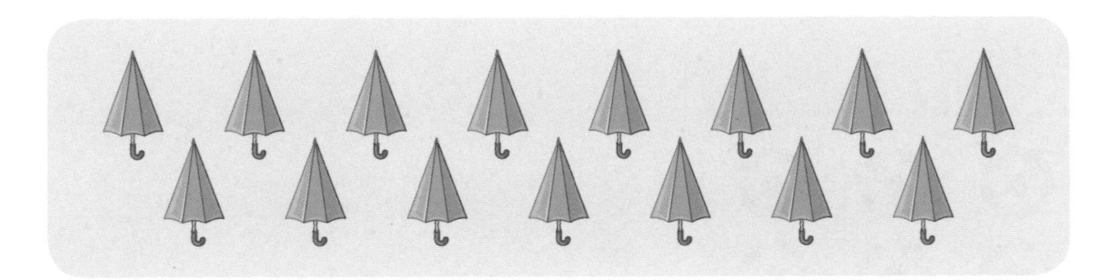

3씩 묶으면 ☐ 묶음입니다. 5씩 묶으면 ☐ 묶음입니다.

우산은 모두 ☐ 개입니다.

2씩 묶으면 ☐ 묶음입니다. 3씩 묶으면 ☐ 묶음입니다.

4씩 묶으면 ☐ 묶음입니다. 6씩 묶으면 ☐ 묶음입니다.

자동차는 모두 ☐ 대입니다.

빈칸에 알맞은 수를 써넣으세요.

2씩 묶으면 ☐ 묶음입니다. 7씩 묶으면 ☐ 묶음입니다.

딸기는 모두 ☐ 개입니다.

3씩 묶으면 ☐ 묶음입니다. 4씩 묶으면 ☐ 묶음입니다.

6씩 묶으면 ☐ 묶음입니다. 8씩 묶으면 ☐ 묶음입니다.

별은 모두 ☐ 개입니다.

38 일 몇씩 몇 묶음

빈칸에 알맞은 수를 써넣으세요.

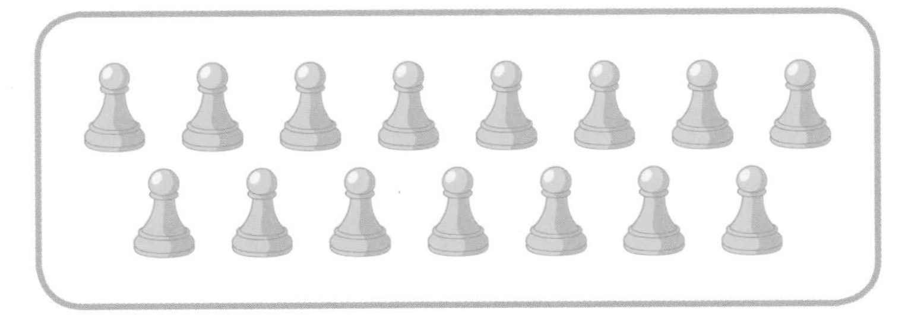

5씩 □ 묶음이고,

모두 □ 개입니다.

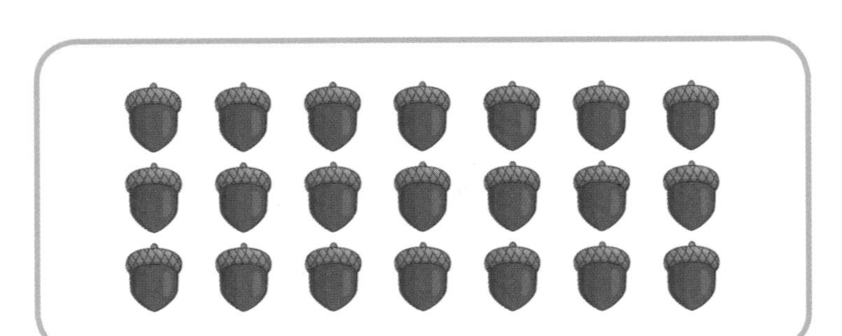

3씩 □ 묶음이고,

모두 □ 개입니다.

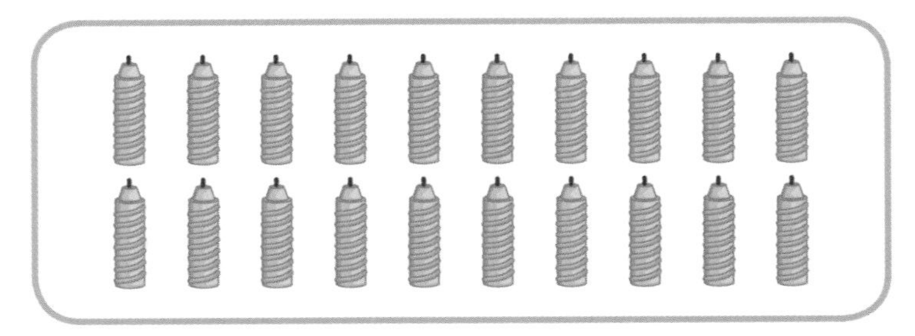

4씩 □ 묶음이고,

모두 □ 개입니다.

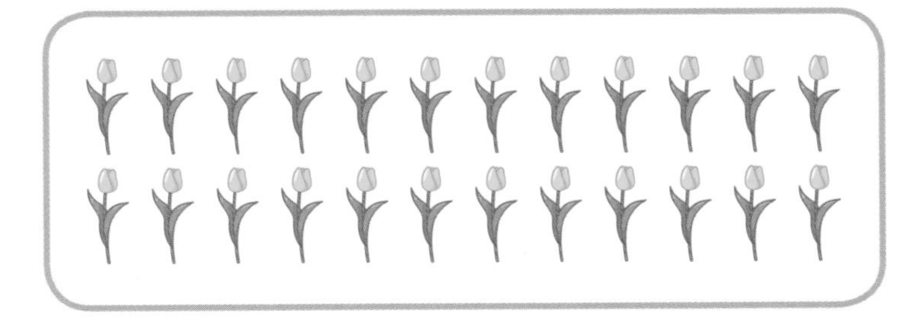

6씩 □ 묶음이고,

모두 □ 개입니다.

여러 가지 방법으로 몇씩 몇 묶음으로 나타내어 보세요.

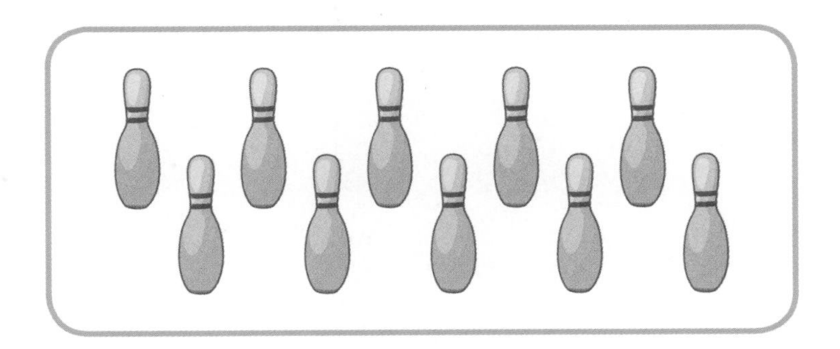

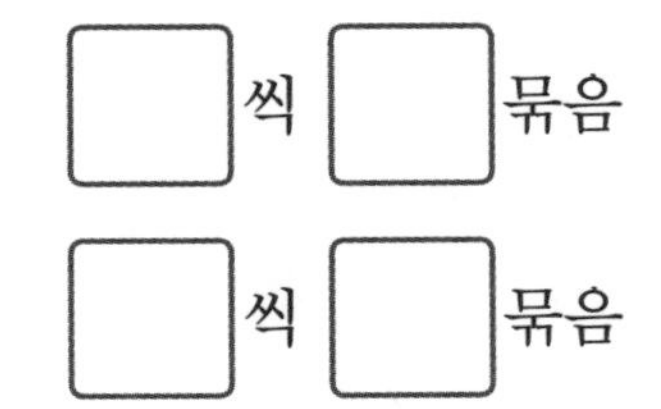

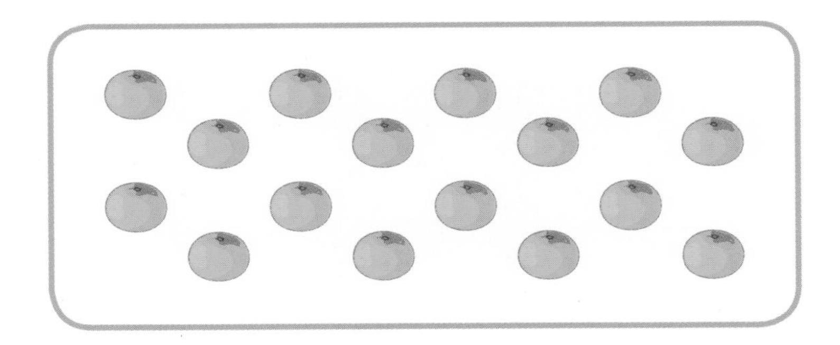

☐ 씩 ☐ 묶음

☐ 씩 ☐ 묶음

☐ 씩 ☐ 묶음

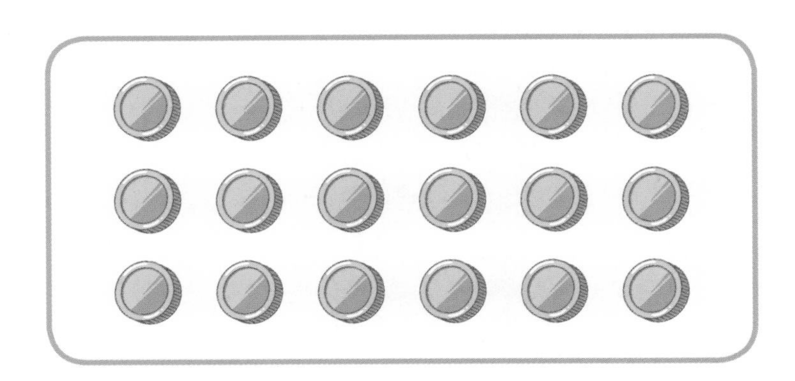

☐ 씩 ☐ 묶음

☐ 씩 ☐ 묶음

☐ 씩 ☐ 묶음

☐ 씩 ☐ 묶음

39 일 9묶음까지 세기

빈칸에 알맞은 수를 써넣으세요.

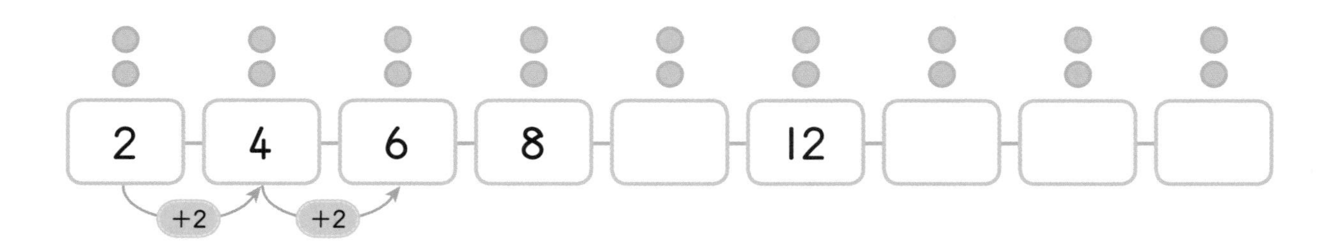

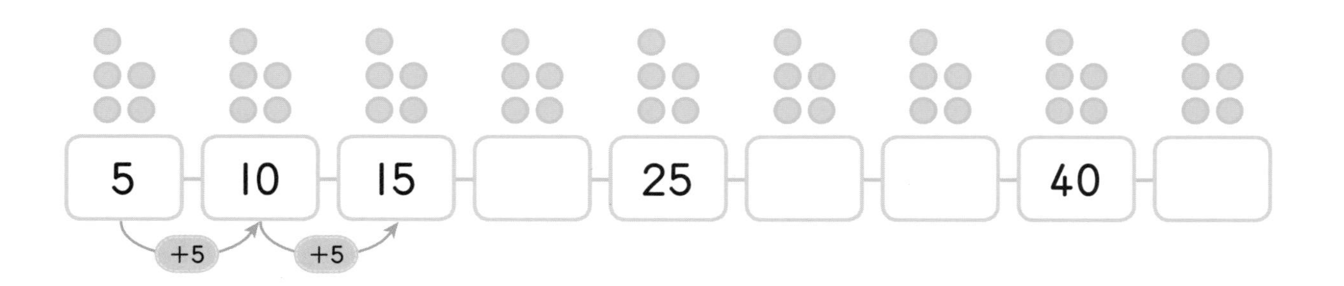

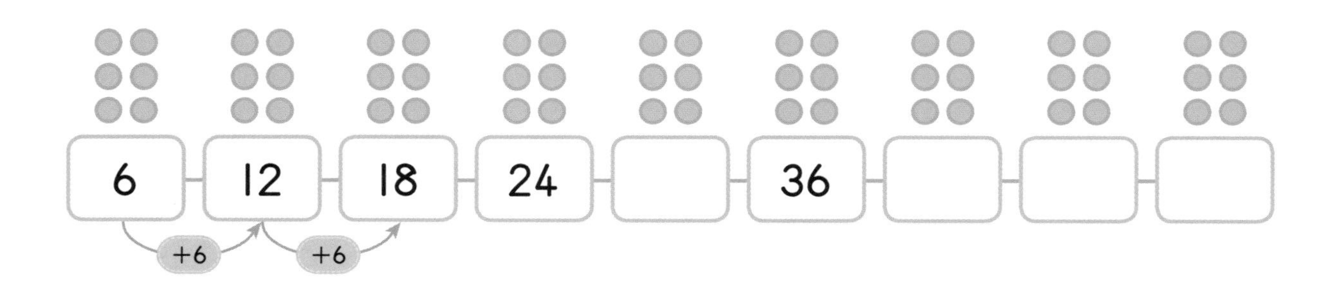

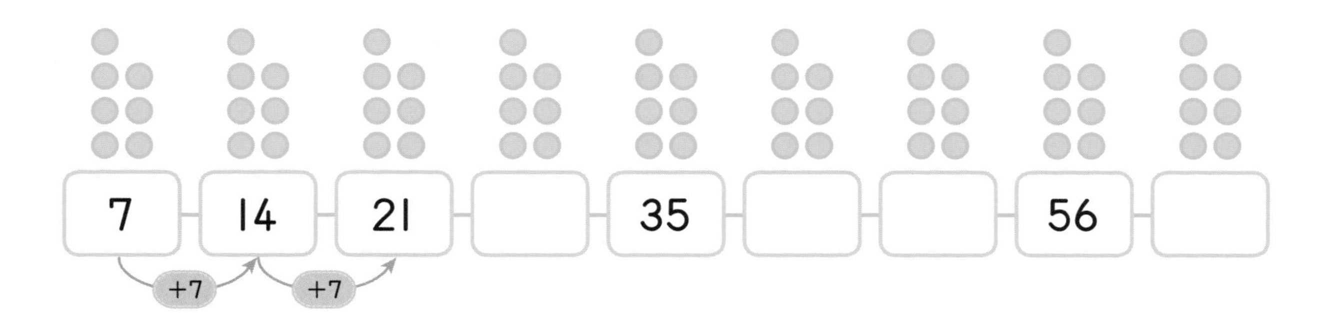

빈칸에 알맞은 수를 써넣으세요.

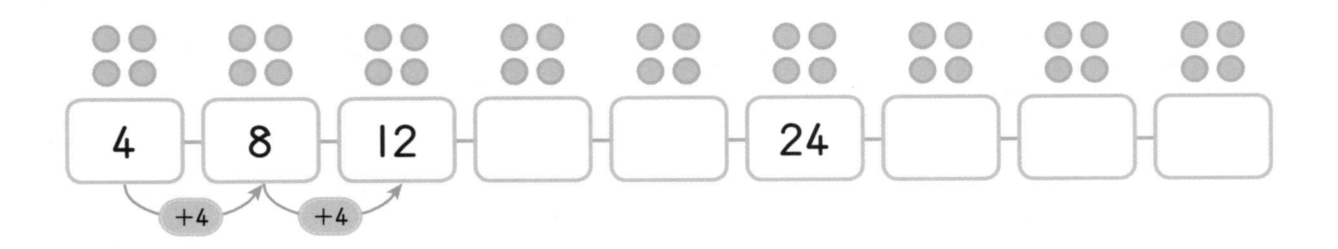

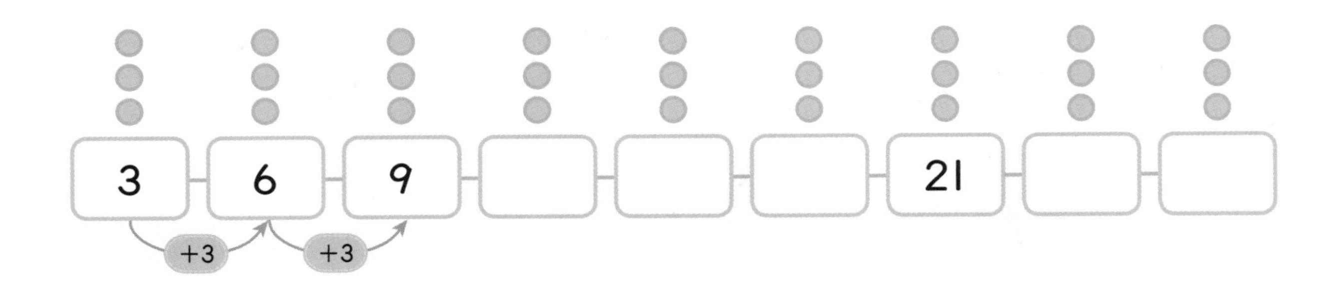

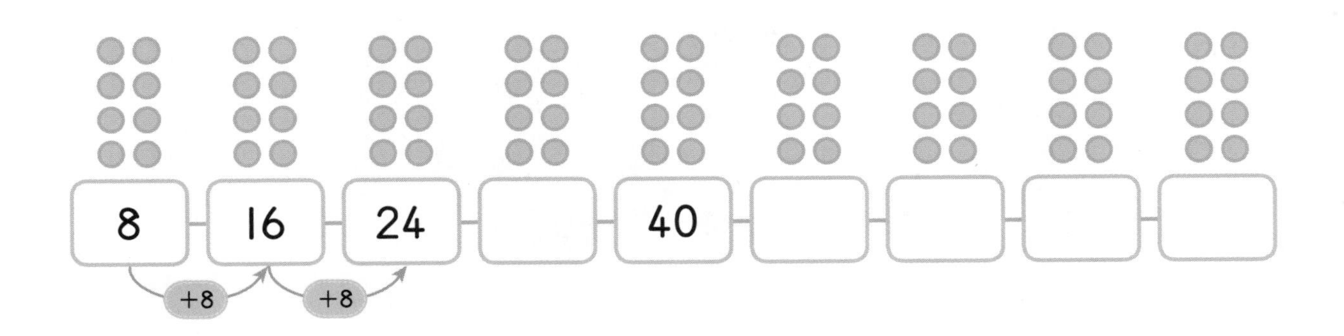

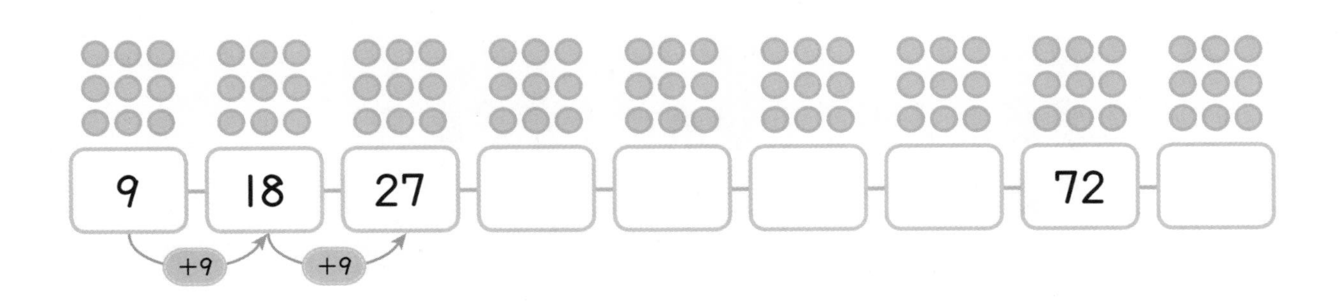

이야기하기

물음에 답하세요.

한 접시에 사과를 3개씩 놓으면 사과는 모두 몇 개일까요?

☐개

한 상자에 공을 6개씩 넣으면 공은 모두 몇 개일까요?

☐개

병아리 8마리의 다리는 모두 몇 개일까요?

☐개

사탕을 5개씩 묶으면 모두 몇 묶음일까요?

☐묶음

물음에 답하세요.

세발자전거 1대에는 바퀴가 3개 있습니다. 세발자전거 6대의 바퀴는 모두 몇 개일까요?

개

사탕이 5개씩 들어 있는 주머니가 4개 있습니다. 사탕은 모두 몇 개일까요?

개

개미의 다리는 6개입니다. 개미 5마리의 다리는 모두 몇 개일까요?

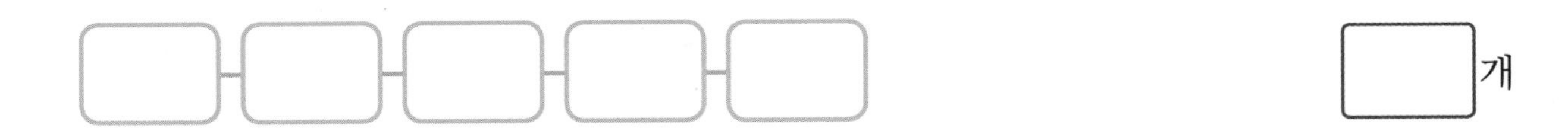

개

배가 한 상자에 7개씩 들어 있습니다. 세 상자에 들어 있는 배는 모두 몇 개일까요?

개

은 모두 몇 개인지 세어 보세요.

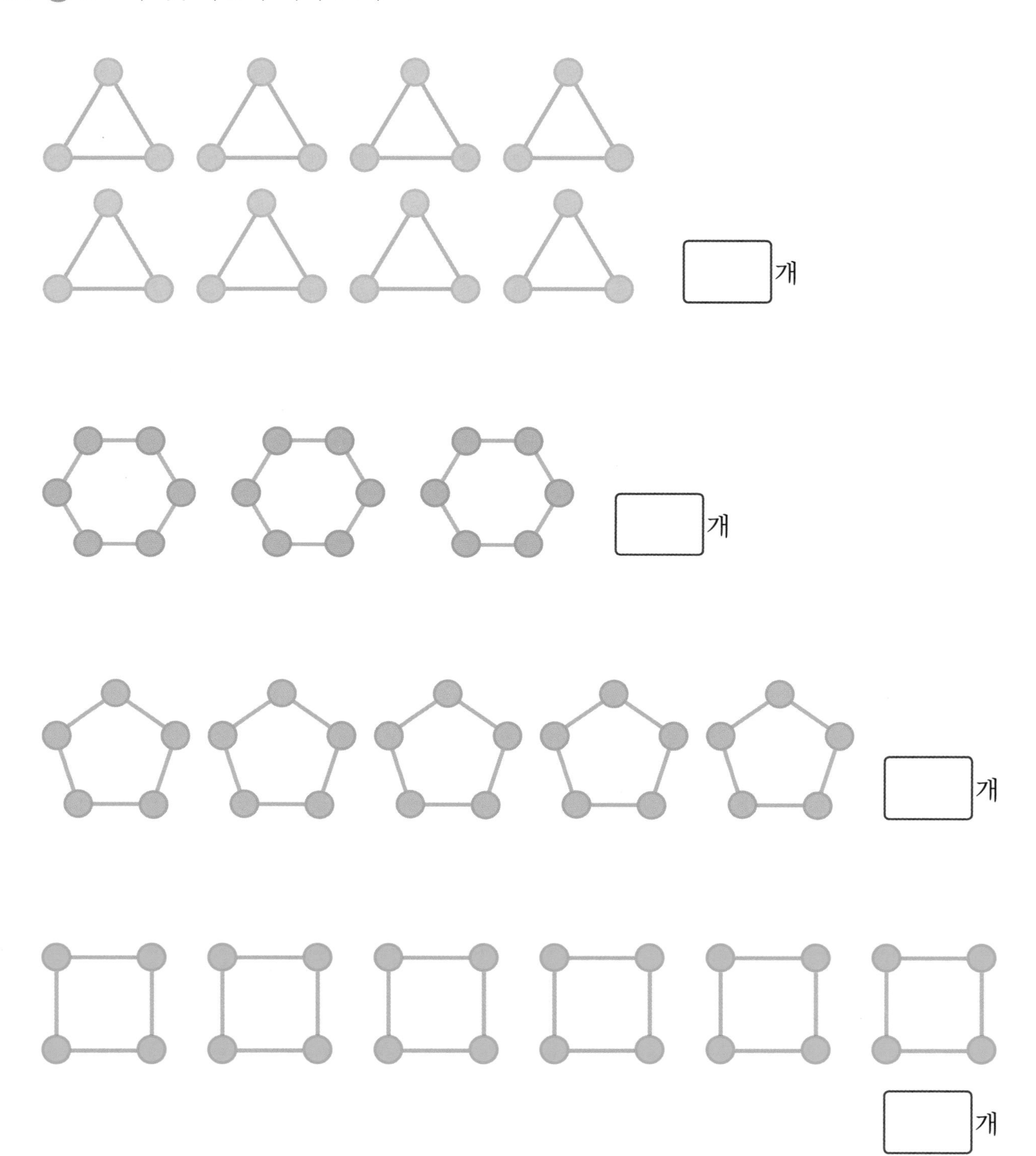

41일~45일

4주차 몇 배

배

빈칸에 알맞은 수를 써넣으세요.

2  2의 [3] 배 

2씩 3묶음은 2의 3배입니다.

3 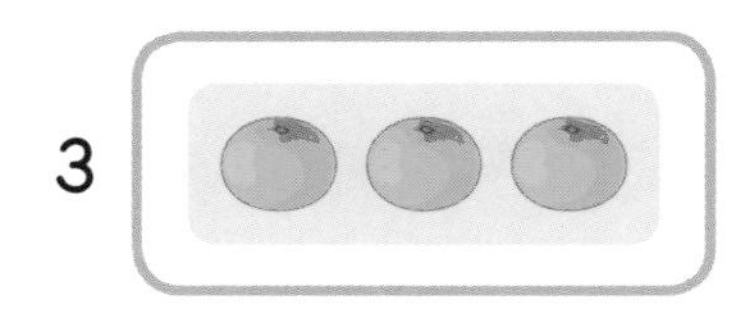 3의 [ ] 배 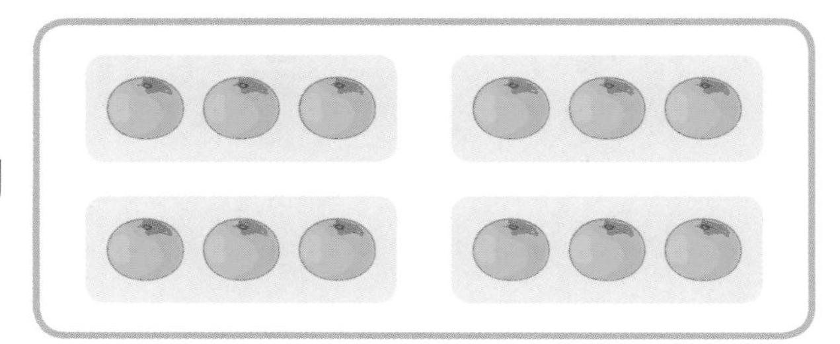

4  4의 [ ] 배 

5 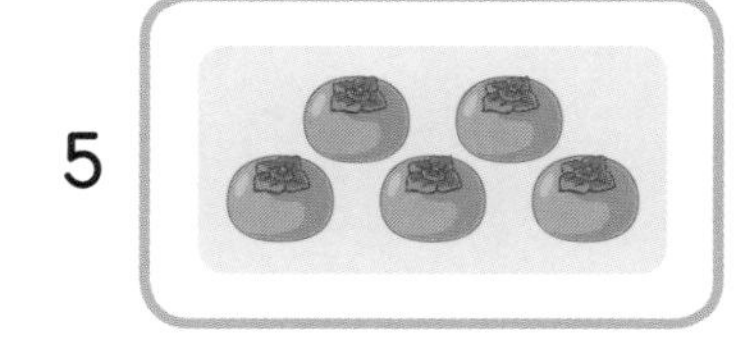 5의 [ ] 배 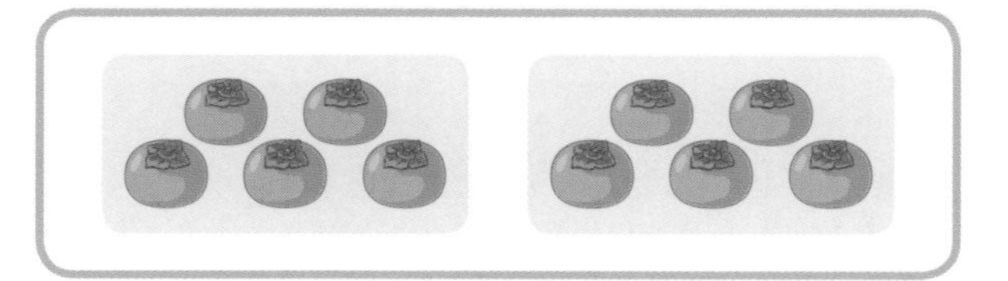

★ 2의 몇 배

	2씩 1묶음은 2입니다.	2의 1배는 2입니다.	2
	2씩 2묶음은 4입니다.	2의 2배는 4입니다.	$2+2=4$
	2씩 3묶음은 6입니다.	2의 3배는 6입니다.	$2+2+2=6$
	2씩 4묶음은 8입니다.	2의 4배는 8입니다.	$2+2+2+2=8$

주어진 만큼 ○를 그려 보세요.

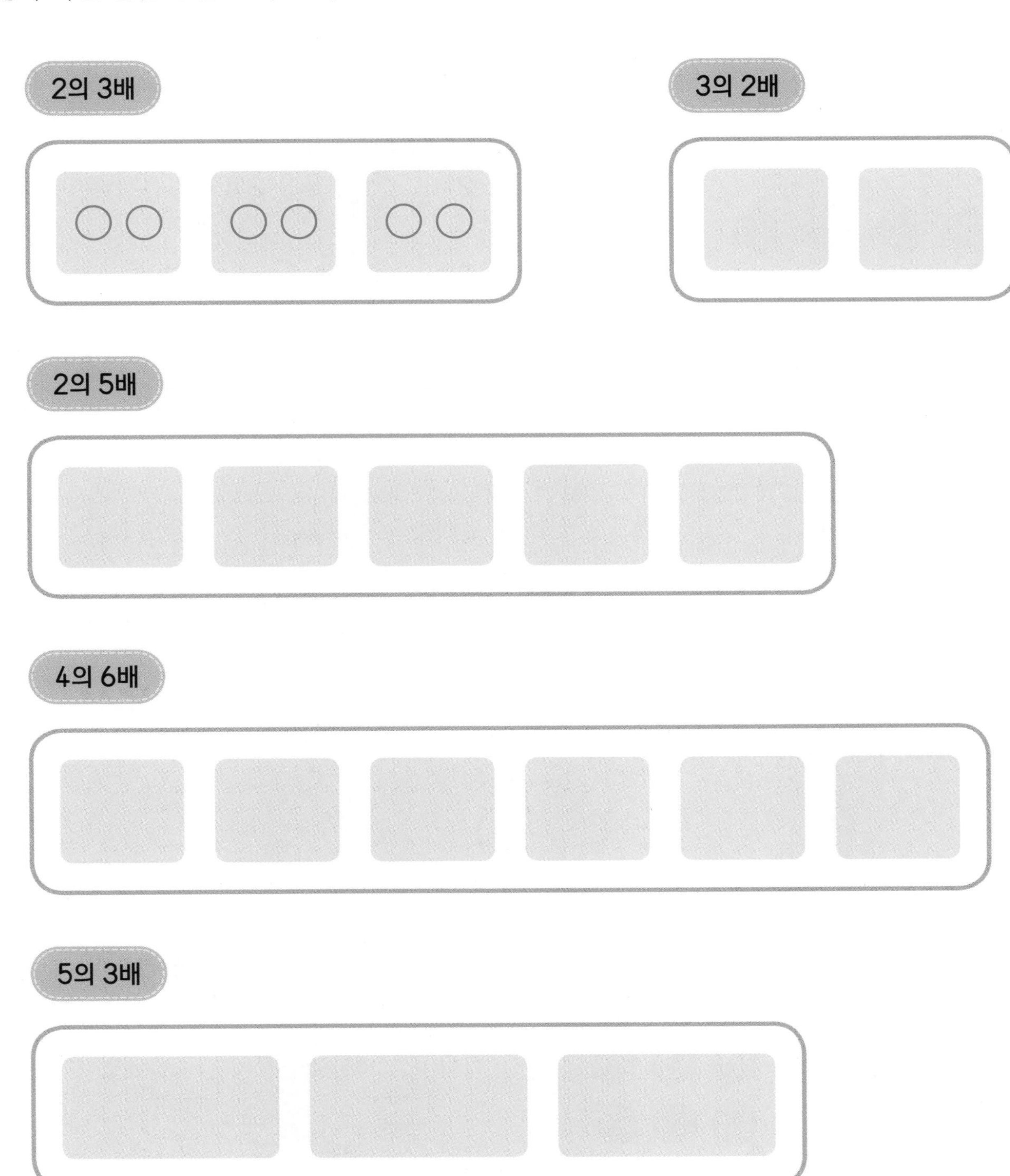

묶음과 배

빈칸에 알맞은 수를 써넣으세요.

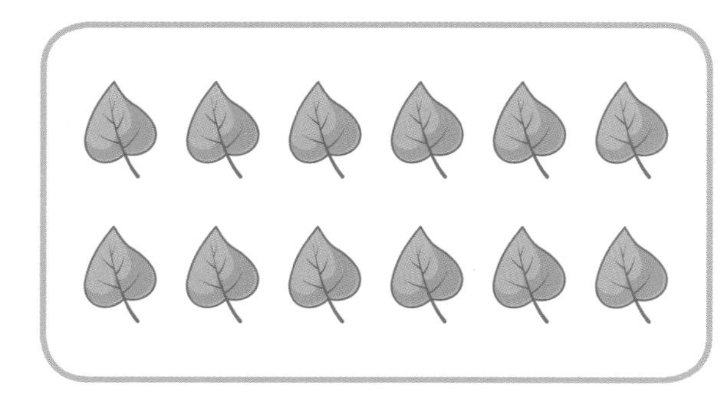

2씩 묶으면 6묶음이 됩니다.

2씩 [6] 묶음은 [12] 입니다.

2씩 [ ] 묶음은 2의 [ ] 배입니다.

2의 [ ] 배는 [ ] 입니다.

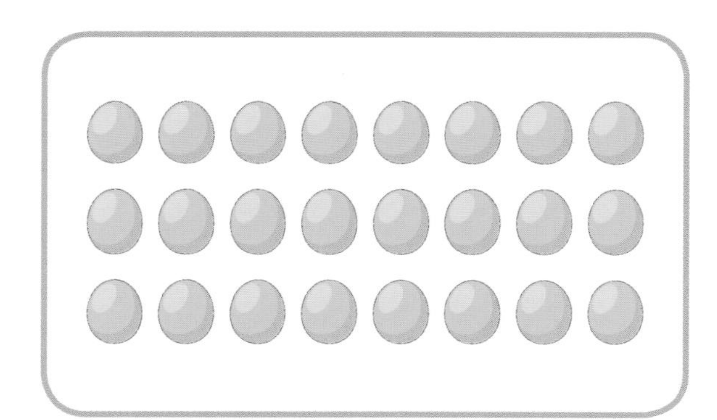

4씩 [ ] 묶음은 [ ] 입니다.

4씩 [ ] 묶음은 4의 [ ] 배입니다.

4의 [ ] 배는 [ ] 입니다.

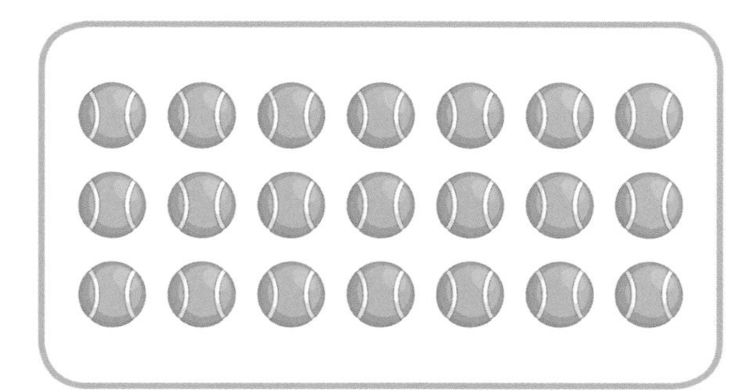

7씩 [ ] 묶음은 [ ] 입니다.

7씩 [ ] 묶음은 7의 [ ] 배입니다.

7의 [ ] 배는 [ ] 입니다.

빈칸에 알맞은 수를 써넣으세요.

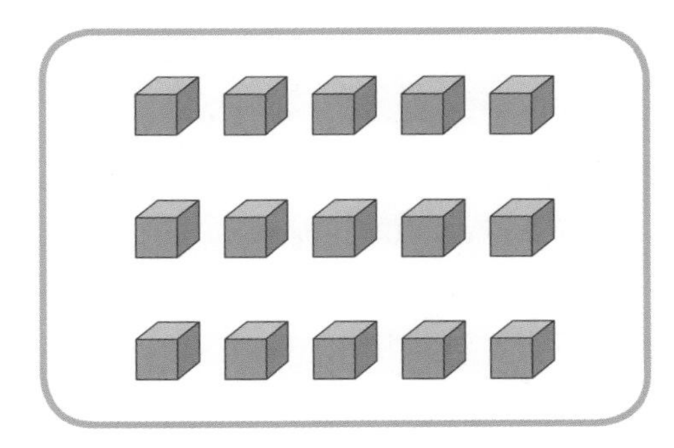

5씩 3묶음은 □ 입니다.

5의 □ 배는 □ 입니다.

5 + 5 + 5 = 15 입니다.

5의 3배는 5를 3번 더하는 것과 같습니다.

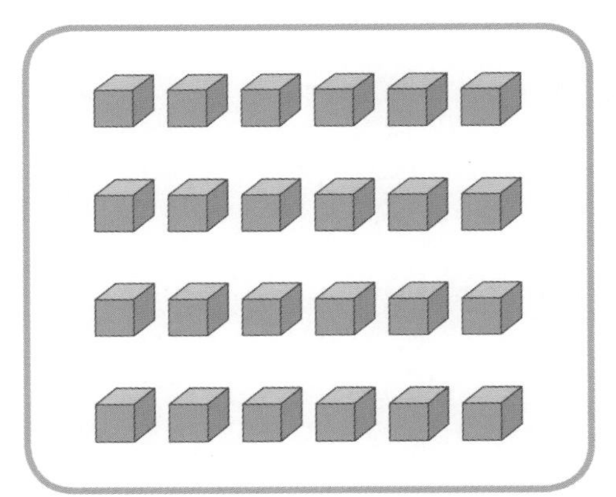

6씩 □ 묶음은 □ 입니다.

6의 □ 배는 □ 입니다.

□ + □ + □ + □ = □ 입니다.

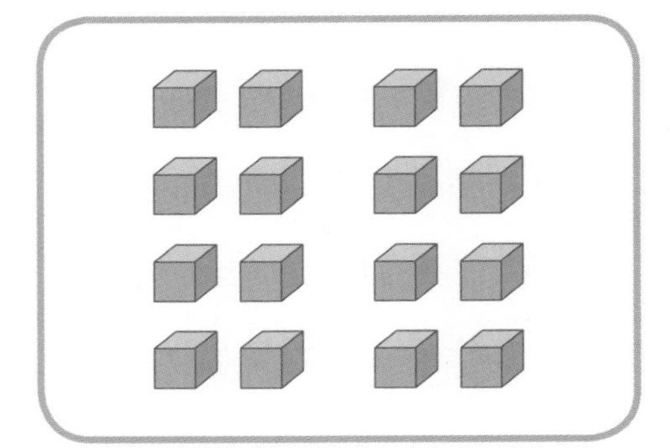

8씩 □ 묶음은 □ 입니다.

8의 □ 배는 □ 입니다.

□ + □ = □ 입니다.

43 일 몇의 몇 배

빈칸에 알맞은 수를 써넣으세요.

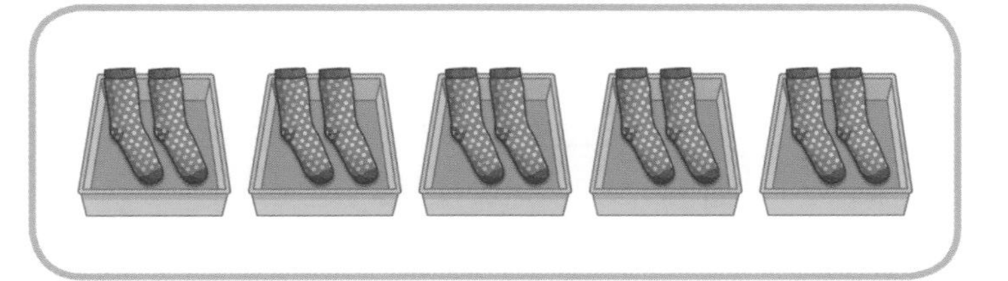

10은 2의 □ 배입니다.

2+2+2+2+2=10이므로 2의 5배는 10입니다.

18은 6의 □ 배입니다.

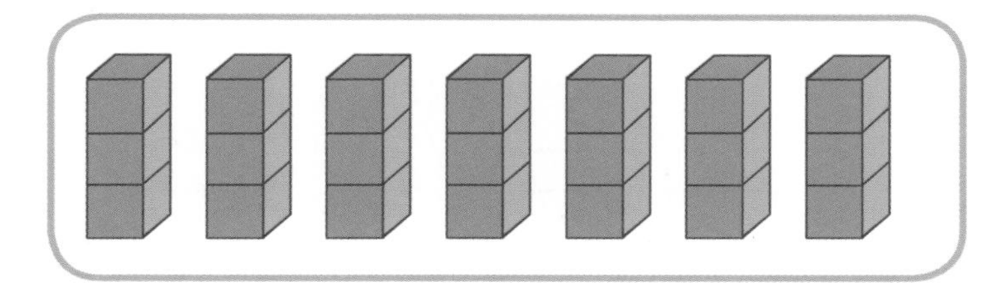

21은 3의 □ 배입니다.

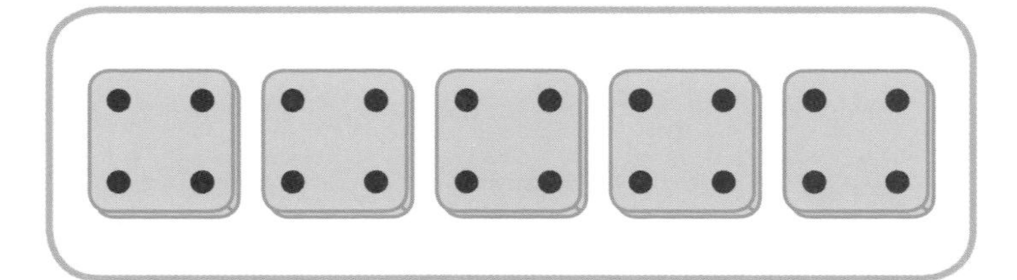

20은 4의 □ 배입니다.

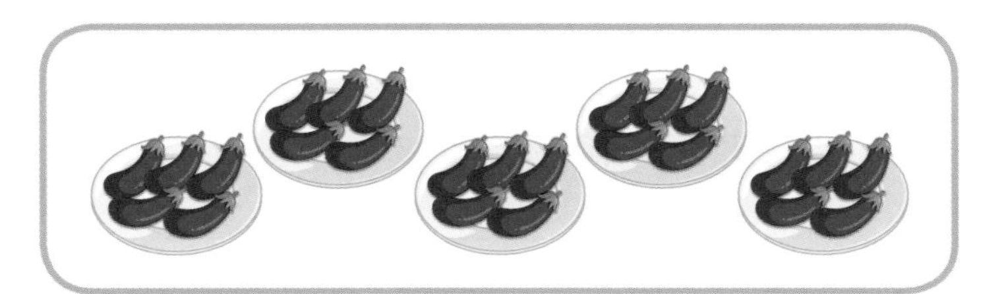

25는 5의 □ 배입니다.

월 일

물음에 답하세요.

8은 2의 몇 배일까요?

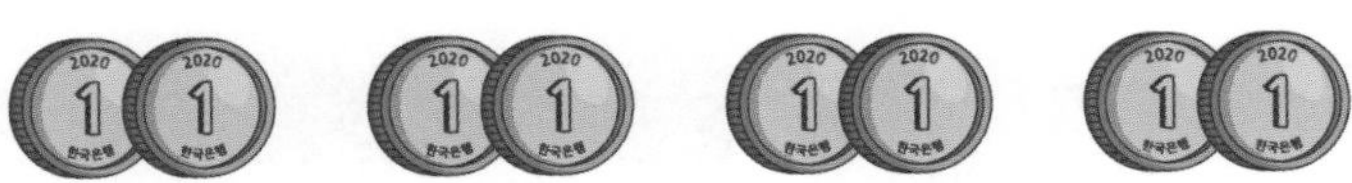

☐배

30은 6의 몇 배일까요?

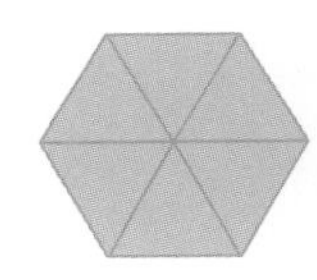
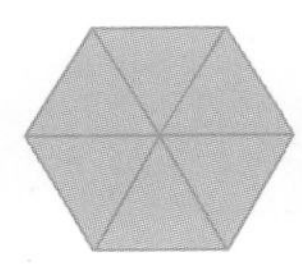
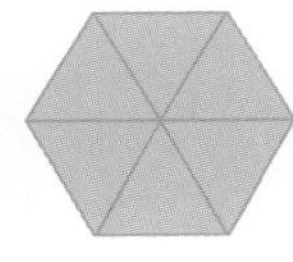
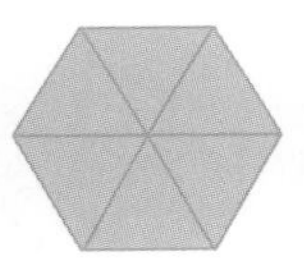
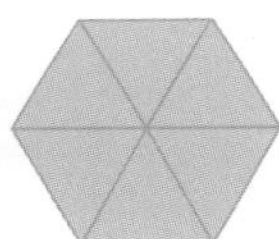

☐배

수호가 가진 사탕의 수는 재희가 가진 사탕의 수의 몇 배일까요?

재희

수호

☐배

귤의 수는 수박의 수의 몇 배일까요?

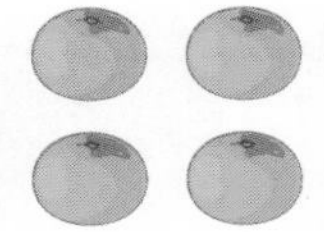
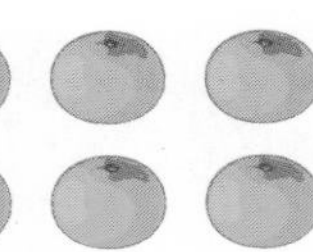
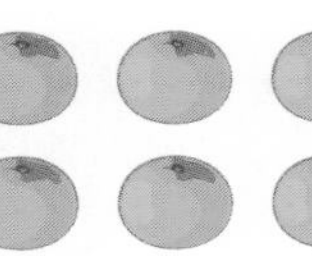
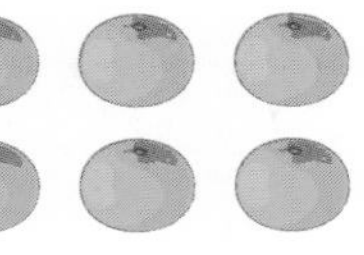

☐배

모형의 수

파란색 모형의 수는 빨간색 모형의 수의 몇 배인지 구해 보세요.

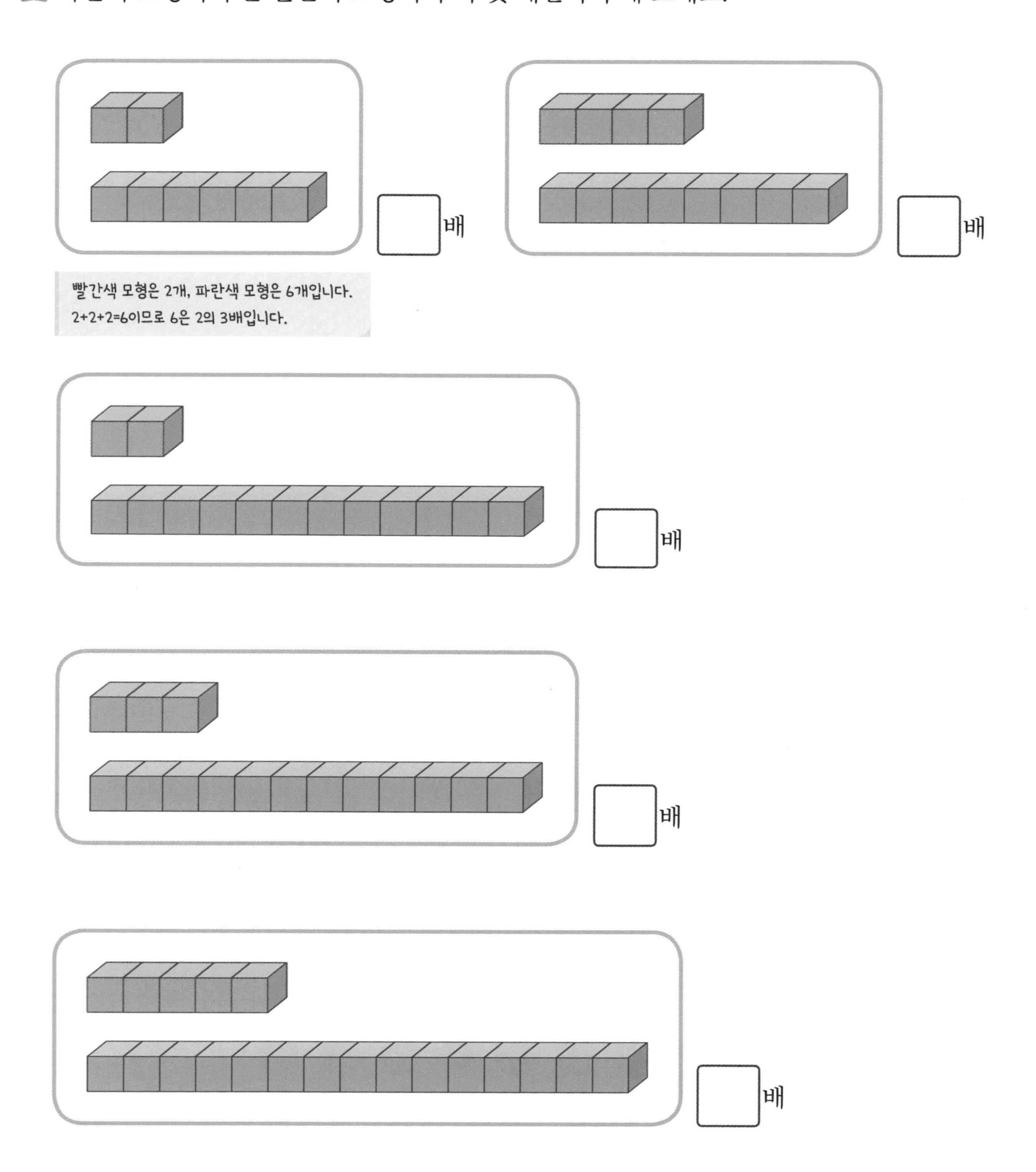

배
배
빨간색 모형은 2개, 파란색 모형은 6개입니다.
2+2+2=6이므로 6은 2의 3배입니다.
배
배
배

각 색깔의 모형의 수는 빨간색 모형의 수의 몇 배인지 구해 보세요.

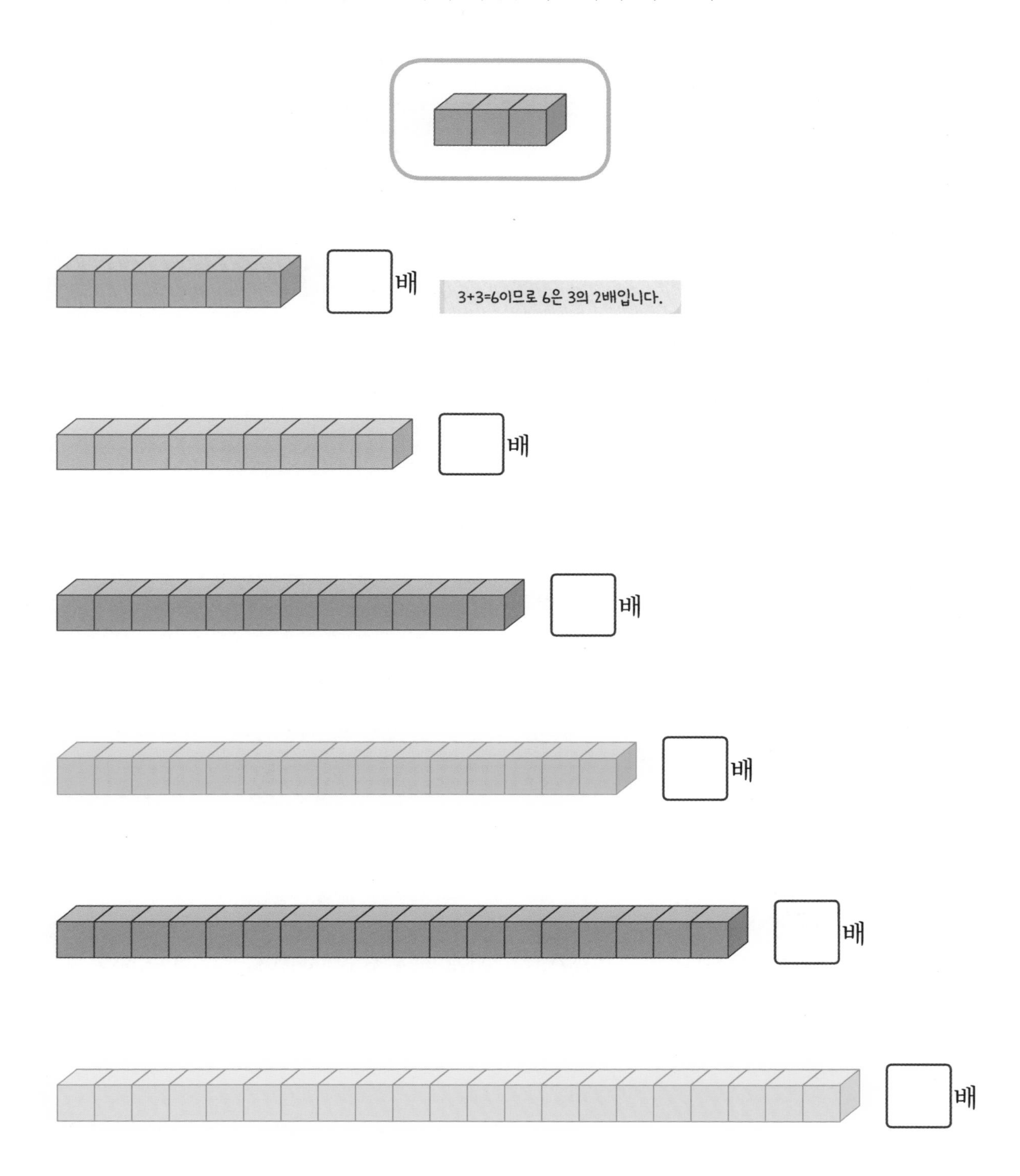

45일 이야기하기

물음에 답하세요.

민규는 책을 2권 읽었습니다. 서연이는 민규의 4배만큼 책을 읽었습니다. 서연이는 책을 몇 권 읽었을까요?

2+2+2+2=8

□권

윤서의 나이는 4살입니다. 현서의 나이는 윤서의 나이의 3배입니다. 현서의 나이는 몇 살일까요?

□살

노란색 끈의 길이는 8 cm입니다. 파란색 끈의 길이는 노란색 끈의 길이의 3배입니다. 파란색 끈은 몇 cm일까요?

□cm

은호는 연필 3자루를 가지고 있습니다. 시유는 은호의 6배만큼 연필을 가지고 있습니다. 시유가 가진 연필은 몇 자루일까요?

□자루

물음에 답하세요.

식탁 위에 바나나가 9개, 사과가 3개 있습니다. 바나나의 수는 사과의 수의 몇 배일까요?

3을 몇 번 더하면 9가 되는지 구합니다.

☐배

책장에 동화책이 5권, 만화책이 25권 꽂혀 있습니다. 만화책의 수는 동화책의 수의 몇 배일까요?

☐배

주원이 삼촌의 나이는 27살, 주원이의 나이는 9살입니다. 주원이 삼촌의 나이는 주원이의 나이의 몇 배일까요?

☐배

유나는 색종이를 6장 가지고 있고 예준이는 24장 가지고 있습니다. 예준이가 가진 색종이의 수는 유나가 가진 색종이의 수의 몇 배일까요?

☐배

물음에 답하세요.

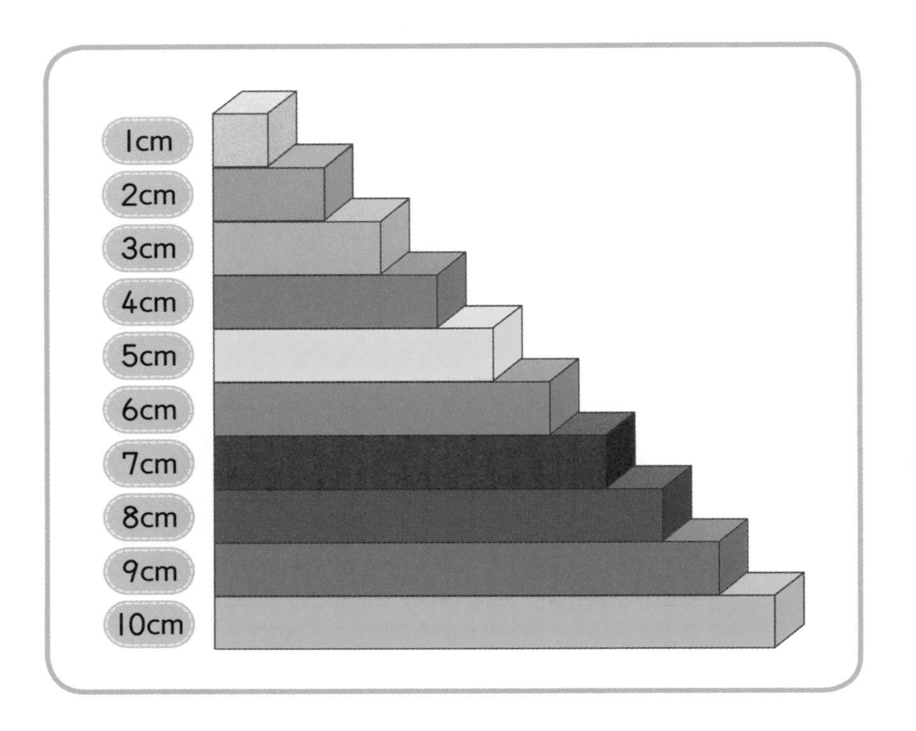

연두색 막대의 길이는 흰색 막대의 길이의 몇 배일까요? □배

갈색 막대의 길이는 빨간색 막대의 길이의 몇 배일까요? □배

파란색 막대의 길이는 연두색 막대의 길이의 몇 배일까요? □배

주황색 막대의 길이는 빨간색 막대의 길이의 몇 배일까요? □배

46일 ~ 50일

5주차 곱셈식

46일 묶음과 배, 곱하기

곱셈식으로 나타내어 보세요.

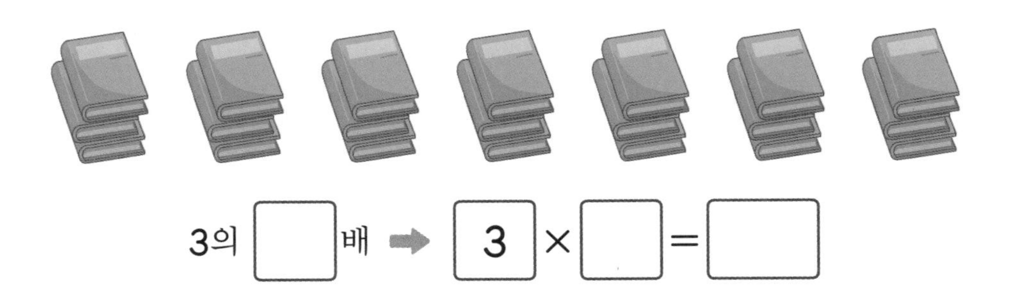

3의 □ 배 ➡ 3 × □ = □

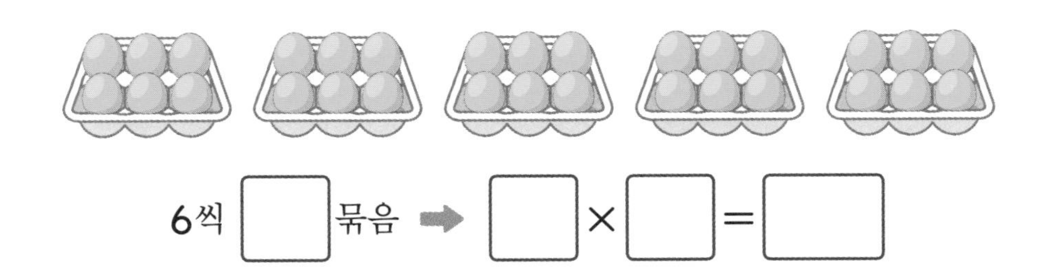

6씩 □ 묶음 ➡ □ × □ = □

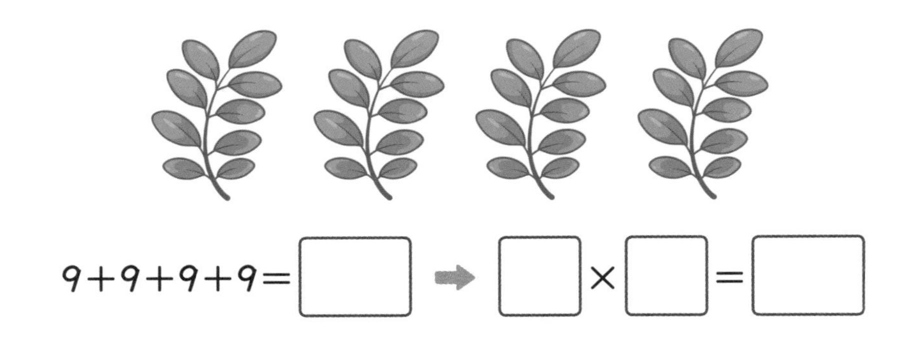

9+9+9+9= □ ➡ □ × □ = □

★ 곱셈식

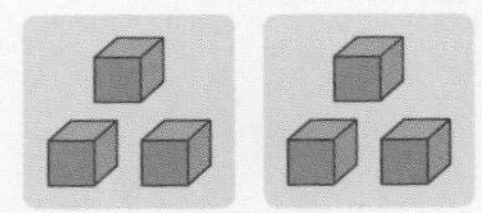

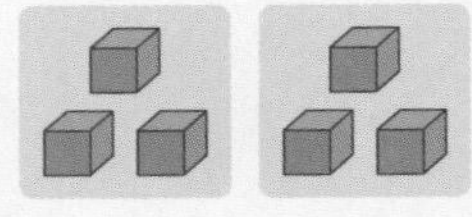

3의 4배를 덧셈식으로 나타내면 3+3+3+3, 곱셈식으로 나타내면 3×4입니다.

3×4는 3 곱하기 4라고 읽습니다.

3+3+3+3=12 ➡ 3×4=12

3×4=12는 3 곱하기 4는 12와 같습니다라고 읽습니다.

3과 4의 곱은 12입니다.

다른 것 하나에 ×표 하세요.

2의 3배	2+2+2
2+3	2씩 3묶음

4×2	4+4
4씩 3묶음	4의 2배

6×4	6씩 4묶음
6의 4배	4+4+4

7의 3배	7+7+7
7씩 3묶음	7×7×7

5씩 2묶음	5×5
5+5	5의 2배

2+2+2+2	2씩 4묶음
2의 4배	4×4

9+3	9의 3배
9씩 3묶음	9×3

4씩 4묶음	4×4×4×4
4+4+4+4	4의 4배

47일 곱셈식으로 나타내기

덧셈식과 곱셈식으로 나타내어 보세요.

덧셈식 4 + 4 + 4 = 12

곱셈식 □ × □ = □

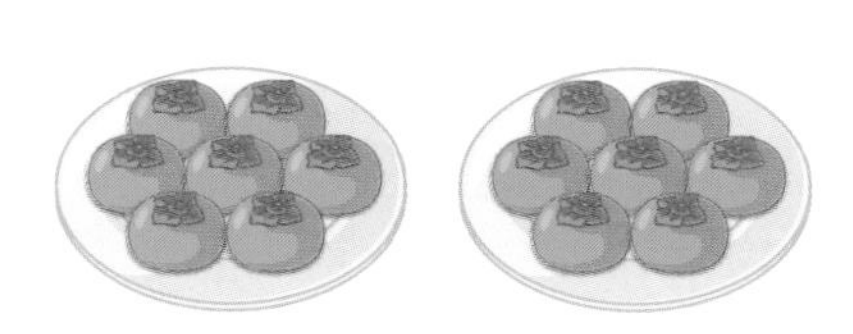

덧셈식 □ + □ = □

곱셈식 □ × □ = □

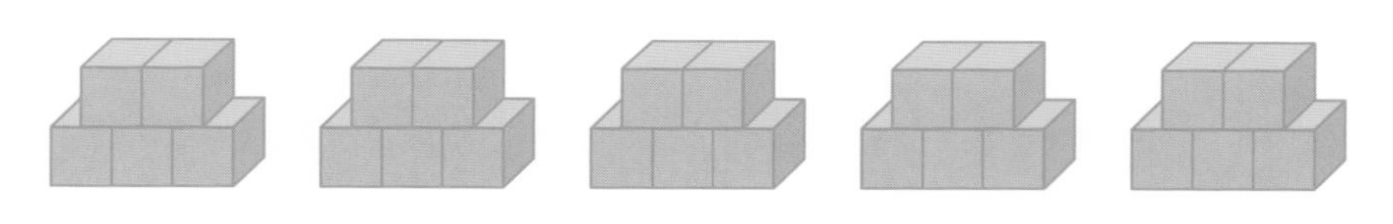

덧셈식 □ + □ + □ + □ + □ = □

곱셈식 □ × □ = □

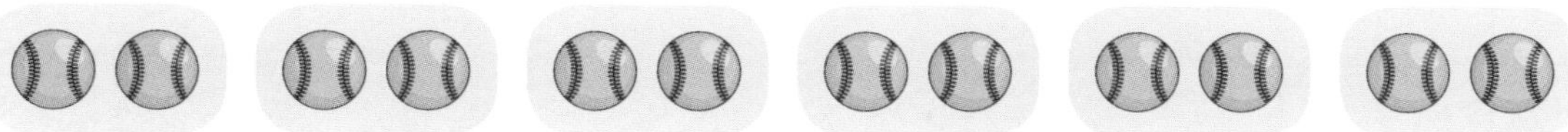
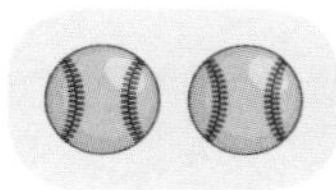
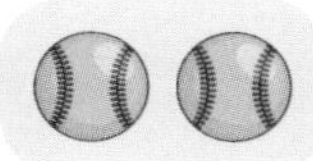
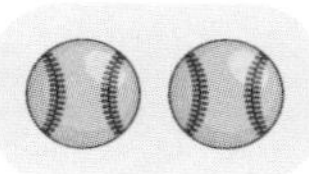
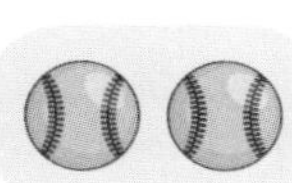
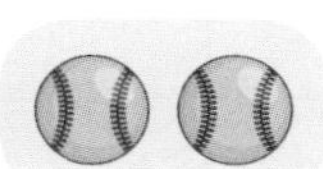

덧셈식 □ + □ + □ + □ + □ + □ = □

곱셈식 □ × □ = □

월 일

빈칸에 알맞은 그림을 그리고 곱셈식으로 나타내어 보세요.

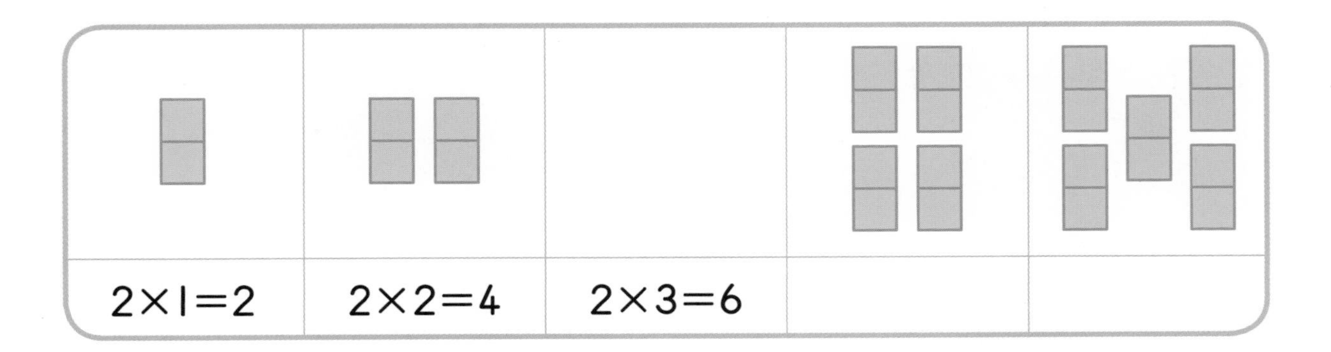

$2 \times 1 = 2$	$2 \times 2 = 4$	$2 \times 3 = 6$		

$3 \times 1 = 3$	$3 \times 2 = 6$		$3 \times 4 = 12$	

$4 \times 1 = 4$		$4 \times 3 = 12$		$4 \times 5 = 20$

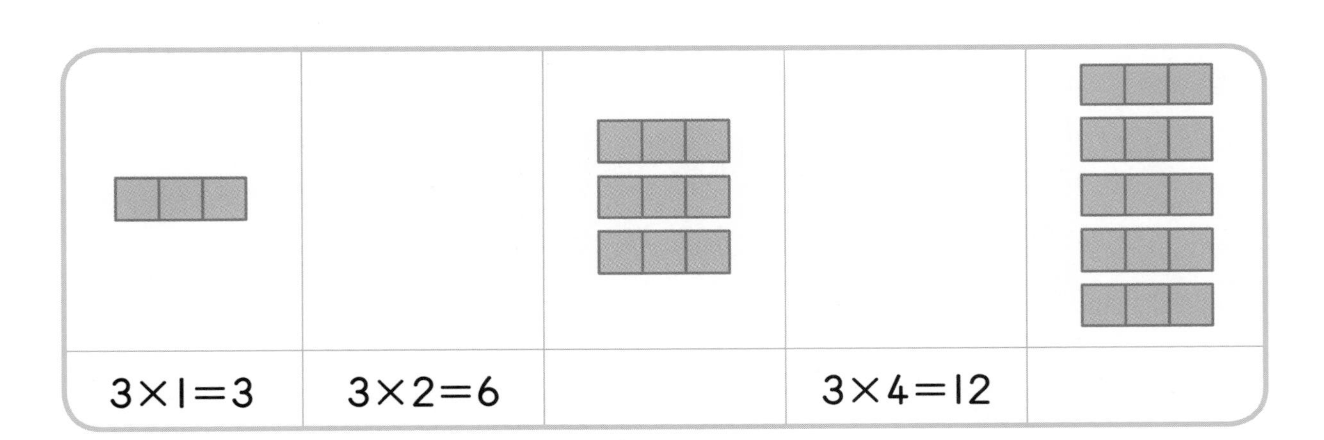

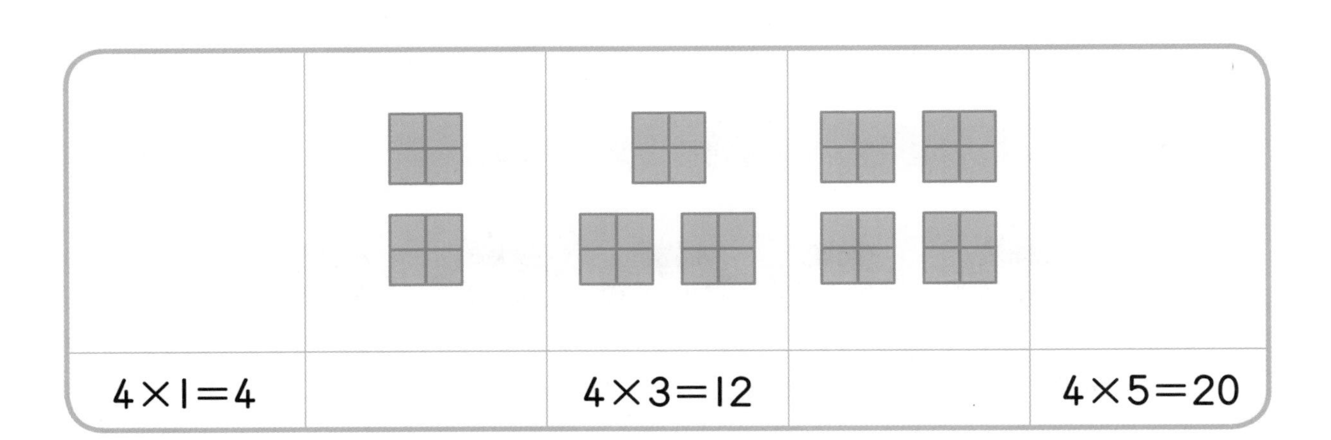

곱셈식 이용하기

물음에 답하세요.

다음 쌓기나무의 2배만큼 쌓으려고 합니다. 쌓기나무는 모두 몇 개 필요할까요?

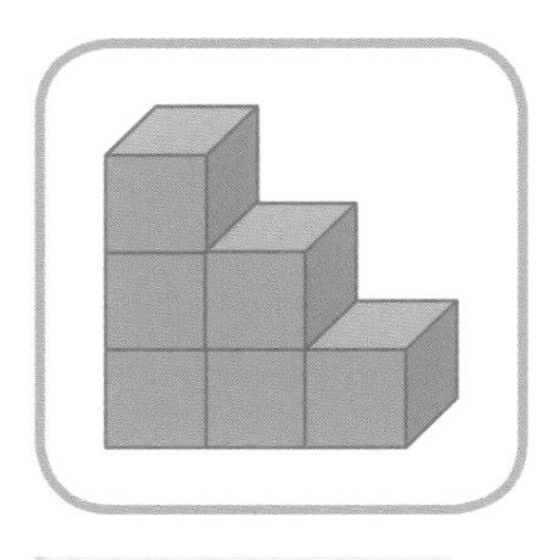

6의 2배는 6×2입니다.

식 ☐ × ☐ = ☐ 답 ☐개

하윤이는 다음 사탕 수의 7배만큼 사탕을 가지고 있습니다. 하윤이가 가진 사탕은 모두 몇 개일까요?

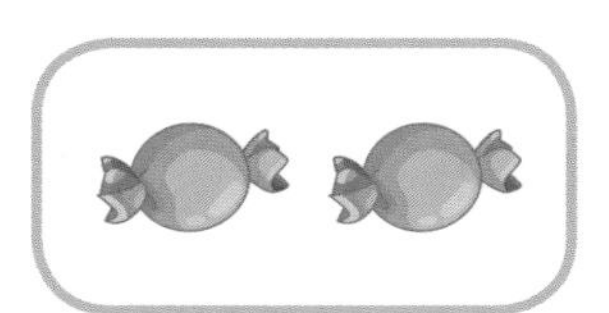

식 ☐ × ☐ = ☐ 답 ☐개

바퀴가 4개인 자동차입니다. 자동차 바퀴는 모두 몇 개일까요?

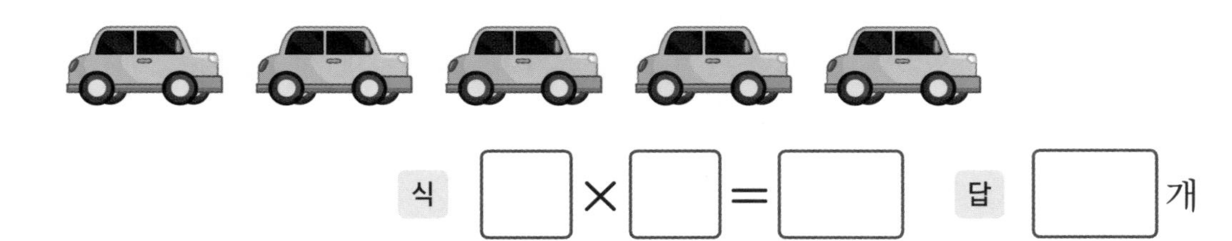

식 ☐ × ☐ = ☐ 답 ☐개

물음에 답하세요.

초는 모두 몇 개일까요?

식 □ × □ = □ 답 □ 개

막대는 모두 몇 개일까요?

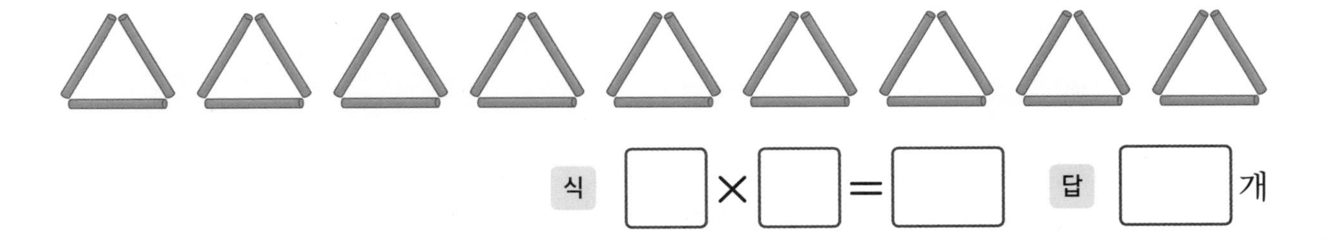

식 □ × □ = □ 답 □ 개

구슬은 모두 몇 개일까요?

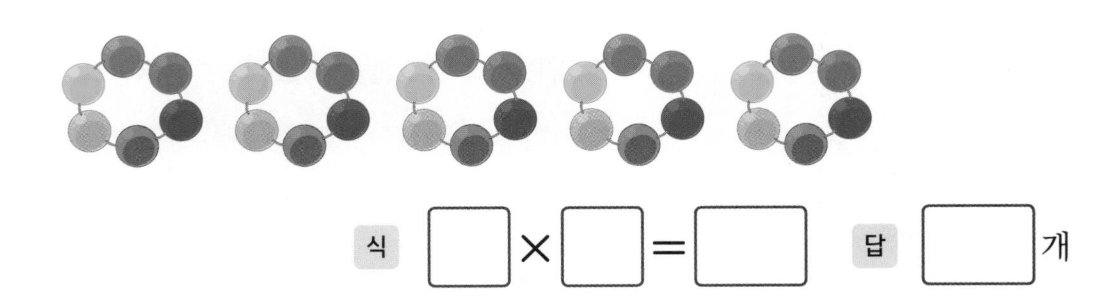

식 □ × □ = □ 답 □ 개

49일 별의 개수

별의 수를 곱셈식으로 나타내어 보세요.

5개씩 3줄이므로 $5 \times 3 = 15$

3개씩 5줄이므로 $3 \times 5 = 15$

별은 가로로 5개씩 3줄, 세로로 3개씩 5줄 있습니다.

6개씩 ☐ 줄이므로 ☐ × ☐ = ☐

2개씩 ☐ 줄이므로 ☐ × ☐ = ☐

4개씩 ☐ 줄이므로 ☐ × ☐ = ☐

3개씩 ☐ 줄이므로 ☐ × ☐ = ☐

7개씩 ☐ 줄이므로 ☐ × ☐ = ☐

4개씩 ☐ 줄이므로 ☐ × ☐ = ☐

규칙적으로 그려진 별에 얼룩이 묻었습니다. 별은 모두 몇 개인지 구해 보세요.

식 □ × □ = □

답 □ 개

식 □ × □ = □

답 □ 개

식 □ × □ = □

답 □ 개

식 □ × □ = □

답 □ 개

여러 가지 곱셈식

여러 가지 곱셈식으로 나타내어 보세요.

5 × 2 = 10

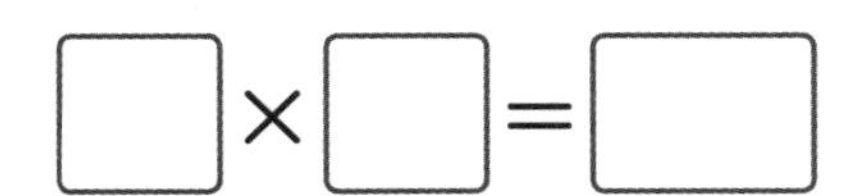

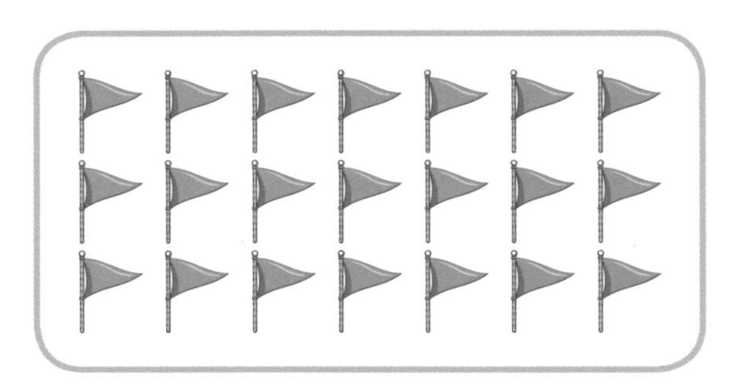

□ × □ = □

□ × □ = □

□ × □ = □

□ × □ = □

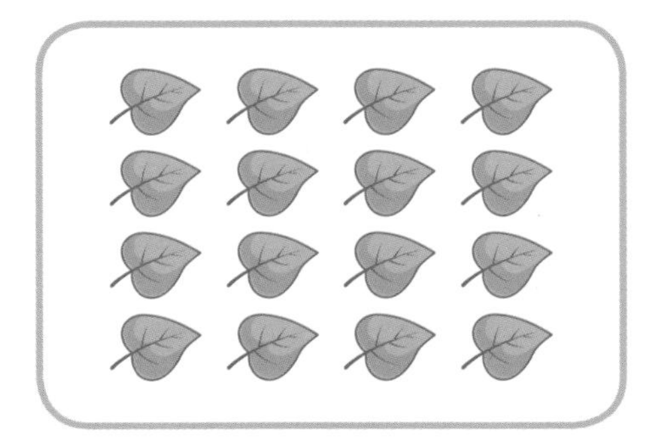

□ × □ = □

□ × □ = □

□ × □ = □

여러 가지 곱셈식으로 나타내어 보세요.

□ × □ = □　　□ × □ = □

□ × □ = □　　□ × □ = □

□ × □ = □　　□ × □ = □

□ × □ = □　　□ × □ = □

빈칸에 알맞은 수를 써넣으세요.

6					
2		2		2	
3			3		

$\boxed{2} \times \boxed{3} = \boxed{6}$

$\boxed{3} \times \boxed{2} = \boxed{6}$

2+2+2=6
3+3=6

8			
2	2	2	2
4		4	

$\square \times \square = \square$

$\square \times \square = \square$

10				
2	2	2	2	2
5		5		

$\square \times \square = \square$

$\square \times \square = \square$

15				
3	3	3	3	3
5	5	5		

$\square \times \square = \square$

$\square \times \square = \square$

20				
4	4	4	4	4
5	5	5	5	

$\square \times \square = \square$

$\square \times \square = \square$

21						
3	3	3	3	3	3	3
7	7	7				

$\square \times \square = \square$

$\square \times \square = \square$

하루 한 장 75일
집중 완성

연산원리 · 상황판단 · 복합사고 · 문제해결

교과 연산

정답

초2

B2

덧셈과 뺄셈의 관계 / 곱셈식

에듀히어로
Edu HERO

정답

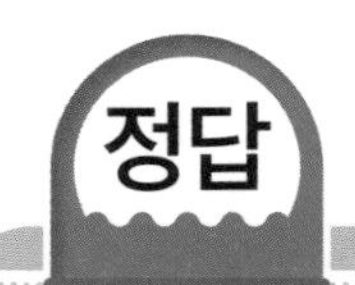

정답

8·9쪽

26일 뺄셈식으로 나타내기

그림을 보고 빈칸에 알맞은 수를 써넣으세요.

(7, 3 → 10)
- 7 + 3 = **10**
- 3 + **7** = 10
- 10 − 7 = **3**
- 10 − **3** = 7

(18, 7 → 25)
- 18 + 7 = **25**
- **7** + 18 = 25
- 25 − 18 = **7**
- **25** − 7 = 18

(25, 13 → 38)
- 25 + 13 = **38**
- 13 + **25** = 38
- 38 − 25 = **13**
- 38 − **13** = 25

(17, 34 → 51)
- 17 + 34 = **51**
- **34** + 17 = 51
- 51 − 17 = **34**
- **51** − 34 = 17

덧셈식을 뺄셈식으로 나타내어 보세요.

- 6 + 5 = 11 → **11** − **6** = **5**, **11** − **5** = **6**
  - 덧셈식 6+5=11은 뺄셈식 11−6=5와 11−5=6으로 나타낼 수 있습니다.
- 9 + 15 = 24 → **24** − **9** = **15**, **24** − **15** = **9**
- 36 + 20 = 56 → **56** − **36** = **20**, **56** − **20** = **36**
- 29 + 54 = 83 → **83** − **29** = **54**, **83** − **54** = **29**
- 47 + 16 = 63 → **63** − **47** = **16**, **63** − **16** = **47**

8 교과연산 B2 | 1주차. 덧셈과 뺄셈의 관계 9

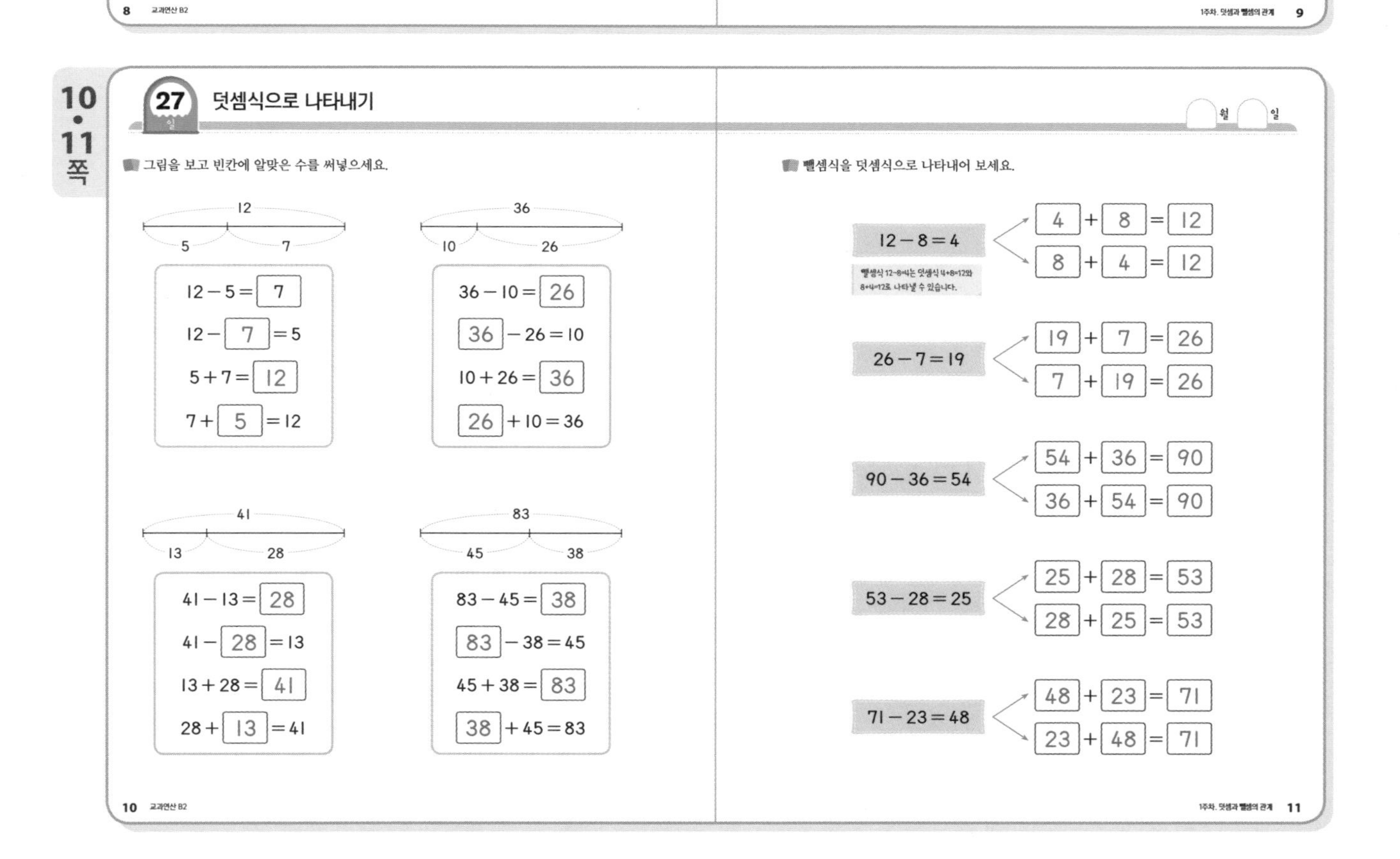

10·11쪽

27일 덧셈식으로 나타내기

그림을 보고 빈칸에 알맞은 수를 써넣으세요.

(12 → 5, 7)
- 12 − 5 = **7**
- 12 − **7** = 5
- 5 + 7 = **12**
- 7 + **5** = 12

(36 → 10, 26)
- 36 − 10 = **26**
- **36** − 26 = 10
- 10 + 26 = **36**
- **26** + 10 = 36

(41 → 13, 28)
- 41 − 13 = **28**
- 41 − **28** = 13
- 13 + 28 = **41**
- 28 + **13** = 41

(83 → 45, 38)
- 83 − 45 = **38**
- **83** − 38 = 45
- 45 + 38 = **83**
- **38** + 45 = 83

뺄셈식을 덧셈식으로 나타내어 보세요.

- 12 − 8 = 4 → **4** + **8** = **12**, **8** + **4** = **12**
  - 뺄셈식 12−8=4는 덧셈식 4+8=12와 8+4=12로 나타낼 수 있습니다.
- 26 − 7 = 19 → **19** + **7** = **26**, **7** + **19** = **26**
- 90 − 36 = 54 → **54** + **36** = **90**, **36** + **54** = **90**
- 53 − 28 = 25 → **25** + **28** = **53**, **28** + **25** = **53**
- 71 − 23 = 48 → **48** + **23** = **71**, **23** + **48** = **71**

10 교과연산 B2 | 1주차. 덧셈과 뺄셈의 관계 11

12·13쪽

28일 식 완성하기

세 수를 이용하여 덧셈식 또는 뺄셈식을 완성해 보세요.

7 + [8] = 15
8 + 7 = [15]

21 6 15

21 − 15 = [6]
21 − [6] = 15

37 18 55

37 + 18 = [55]
18 + [37] = 55

26 76 50

76 − [26] = 50
[76] − 50 = 26

25 51 26

25 + [26] = 51
26 + [25] = 51

16 67 83

83 − 16 = [67]
[83] − 67 = 16

월 일

식을 완성하고 뺄셈식 또는 덧셈식으로 나타내어 보세요.

18 + 4 = [22], 4 + [18] = 22 → [22] − [18] = [4], [22] − [4] = [18]

13 + 57 = [70], [57] + 13 = 70 → [70] − [13] = [57], [70] − [57] = [13]

37 − 21 = [16], [37] − 16 = 21 → [16] + [21] = [37], [21] + [16] = [37]

81 − 62 = [19], [81] − 19 = 62 → [62] + [19] = [81], [19] + [62] = [81]

14·15쪽

29일 식 만들기

수 카드 3장을 한 번씩만 사용하여 덧셈식과 뺄셈식을 만들어 보세요.

3 12 9

[3] + [9] = [12] (또는 9, 3)
[12] − [3] = [9] (또는 9, 3)

32 10 22

[10] + [22] = [32] (또는 22, 10)
[32] − [10] = [22] (또는 22, 10)

25 8 33

[25] + [8] = [33] (또는 8, 25)
[33] − [25] = [8] (또는 8, 25)

55 15 70

[55] + [15] = [70] (또는 15, 55)
[70] − [55] = [15] (또는 15, 55)

월 일

수 카드 3장을 한 번씩만 사용하여 덧셈식과 뺄셈식을 만들어 보세요.

36 16 52

[36] + [16] = [52] (또는 16, 36)
[52] − [36] = [16] (또는 16, 36)

56 17 73

[56] + [17] = [73] (또는 17, 56)
[73] − [56] = [17] (또는 17, 56)

57 95 38

[57] + [38] = [95] (또는 38, 57)
[95] − [57] = [38] (또는 38, 57)

29 68 39

[29] + [39] = [68] (또는 39, 29)
[68] − [29] = [39] (또는 39, 29)

정답

16·17쪽

30일 이야기하기

월 일

빈칸에 알맞은 수를 써넣으세요.

모든 바둑돌의 수

$14 + 20 = 34$

검은 바둑돌의 수: $34 - 20 = 14$

흰 바둑돌의 수: $34 - 14 = 20$

모든 바둑돌의 수

$15 + 26 = 41$

또는 26 + 15

검은 바둑돌의 수: $41 - 26 = 15$

흰 바둑돌의 수: $41 - 15 = 26$

물음에 답하세요.

밤은 모두 몇 개인지 덧셈식으로 나타내어 보세요.

$12 + 9 = 21$

또는 9 + 12

접시에 있는 밤은 몇 개인지 뺄셈식으로 나타내어 보세요.

전체 밤의 수에서 바구니에 있는 밤의 수를 뺍니다. $21 - 12 = 9$

바구니에 있는 밤은 몇 개인지 뺄셈식으로 나타내어 보세요.

전체 밤의 수에서 접시에 있는 밤의 수를 뺍니다. $21 - 9 = 12$

16 교과연산 B2 | 1주차. 덧셈과 뺄셈의 관계 17

18쪽

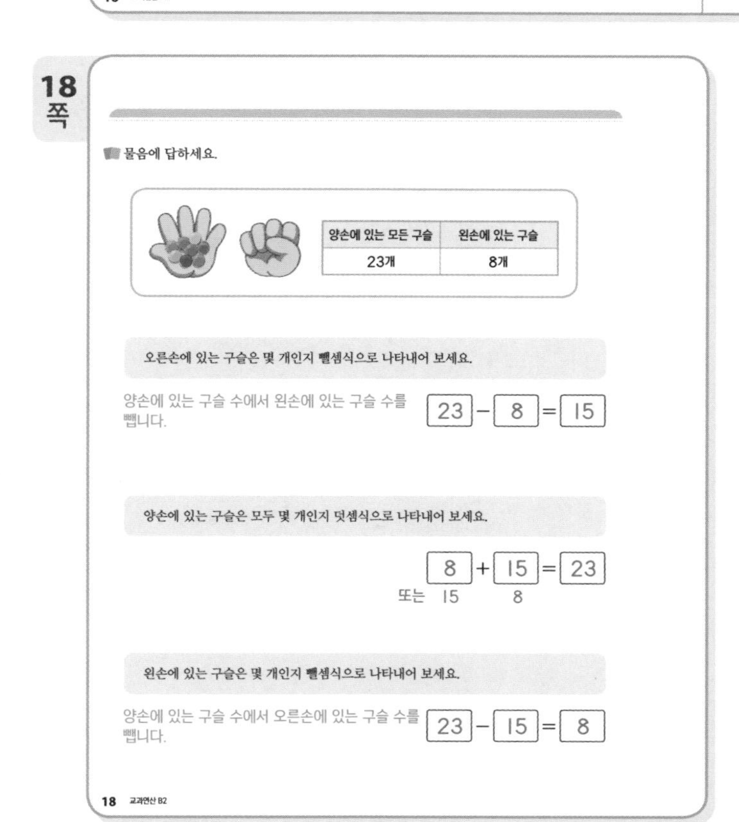

물음에 답하세요.

양손에 있는 모든 구슬	왼손에 있는 구슬
23개	8개

오른손에 있는 구슬은 몇 개인지 뺄셈식으로 나타내어 보세요.

양손에 있는 구슬 수에서 왼손에 있는 구슬 수를 뺍니다. $23 - 8 = 15$

양손에 있는 구슬은 모두 몇 개인지 덧셈식으로 나타내어 보세요.

$8 + 15 = 23$

또는 15 + 8

왼손에 있는 구슬은 몇 개인지 뺄셈식으로 나타내어 보세요.

양손에 있는 구슬 수에서 오른손에 있는 구슬 수를 뺍니다. $23 - 15 = 8$

18 교과연산 B2

20·21쪽

31 그려서 □ 구하기

월 일

양쪽의 수가 같아지도록 빈 곳에 ○를 그리고 빈칸에 알맞은 수를 써넣으세요.

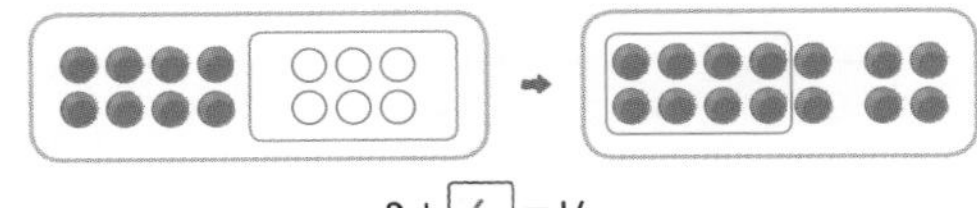

8 + 6 = 14

11 + 9 = 20

15 + 7 = 22

양쪽의 수가 같아지도록 왼쪽 그림을 /로 지우고 빈칸에 알맞은 수를 써넣으세요.

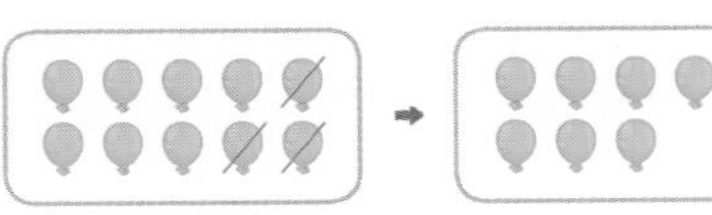

10 − 3 = 7

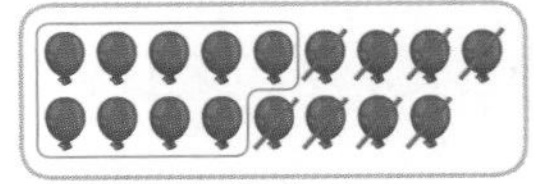

8개를 지우면 정답입니다.

17 − 8 = 9

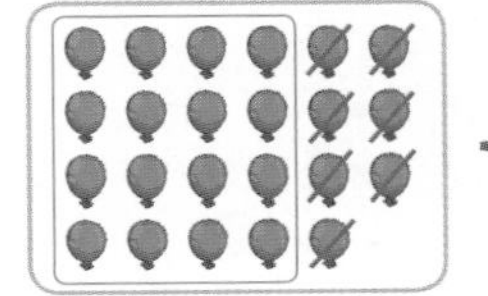

7개를 지우면 정답입니다.

23 − 7 = 16

22·23쪽

32 덧셈과 뺄셈으로 □ 구하기

월 일

빈칸에 알맞은 수를 써넣으세요.

② 18 + 5 = 23 → 23 − 5 = ① 18

□가 있는 덧셈식은 뺄셈식으로 바꾸어 □를 구합니다.

26 + ② 8 = 34 → 34 − 26 = ① 8

①을 구하고 ①의 값을 ②에 넣습니다.

56 + 9 = 65 → 65 − 9 = 56

46 + 13 = 59 → 59 − 46 = 13

38 + 42 = 80 → 80 − 42 = 38

55 + 29 = 84 → 84 − 55 = 29

빈칸에 알맞은 수를 써넣으세요.

② 52 − 7 = 45 → 45 + 7 = ① 52

□가 앞에 있는 뺄셈식은 덧셈식으로 바꾸어 □를 구합니다.

62 − ② 4 = 58 → 62 − 58 = ① 4

□가 가운데 있는 뺄셈식은 또다른 뺄셈식으로 바꾸어 □를 구합니다.

48 − 36 = 12 → 12 + 36 = 48

70 − 36 = 34 → 70 − 34 = 36

87 − 14 = 73 → 73 + 14 = 87

51 − 16 = 35 → 51 − 35 = 16

정답

24·25쪽

33 □가 있는 식

■ 빈칸에 알맞은 수를 써넣으세요.

9 + 6 = 15
→ 15-6=□

18 − 9 = 9
→ 9+9=□

6 + 26 = 32
32 − 6 = 26

45 − 8 = 37
45 − 37 = 8

40 + 22 = 62
62 − 22 = 40

51 − 21 = 30
30 + 21 = 51

21 + 22 = 43
43 − 21 = 22

47 − 22 = 25
47 − 25 = 22

53 + 37 = 90
90 − 37 = 53

70 − 53 = 17
17 + 53 = 70

39 + 46 = 85
85 − 39 = 46

52 − 13 = 39
52 − 39 = 13

25 + 29 = 54
54 − 29 = 25

73 − 48 = 25
25 + 48 = 73

월 일

■ 그림을 보고 □를 사용하여 알맞은 식을 쓰고 답을 구하세요.

(20, □ / 32)
식 20 + □ = 32
답 12
20+□=32 → 32-20=□

(25 / 14, □)
또는 14+□=25, □+14=25
식 25−□=14
답 11 25 − 14 = 11
□를 사용한 식은 식의 앞 또는 가운데 수를 □로 나타내어야 합니다.

(□, 17 / 33)
또는 17+□=33, 33−□=17
식 □+17=33
답 16
33 − 17 = 16

(53 / □, 25)
또는 25+□=53, □+25=53
식 53−□=25
답 28
53 − 25 = 28

(19, □ / 40)
또는 □+19=40, 40−□=19
식 19+□=40
답 21
40 − 19 = 21

(41 / 27, □)
또는 27+□=41, □+27=41
식 41−□=27
답 14
41 − 27 = 14

26·27쪽

34 □를 사용한 식

■ 물음에 답하세요.

50에서 어떤 수를 빼면 41입니다. 어떤 수를 □로 하여 식을 만들고 어떤 수를 구해 보세요.

□가 가운데 있는 뺄셈식은 또다른 뺄셈식 50-41=□로 바꾸어 구합니다.

식 50 − □ = 41 답 9

29와 어떤 수의 합은 34입니다. 어떤 수를 □로 하여 식을 만들고 어떤 수를 구해 보세요.

식 29+□=34 답 5
34 − 29 = 5

어떤 수에서 17을 빼면 37입니다. 어떤 수를 □로 하여 식을 만들고 어떤 수를 구해 보세요.

식 □−17=37 답 54
37 + 17 = 54

16과 어떤 수의 합은 42입니다. 어떤 수를 □로 하여 식을 만들고 어떤 수를 구해 보세요.

식 16+□=42 답 26
42 − 16 = 26

월 일

■ 물음에 답하세요.

윤수는 사탕 15개를 가지고 있었는데 몇 개 더 샀더니 27개가 되었습니다. 윤수가 산 사탕은 몇 개인지 □를 사용하여 식을 만들고 답을 구해 보세요.

식 15+□=27 답 12 개
27 − 15 = 12

연아는 색종이 46장 중에서 선물을 포장하는 데 몇 장 썼더니 29장 남았습니다. 연아가 사용한 색종이는 몇 장인지 □를 사용하여 식을 만들고 답을 구해 보세요.

식 46−□=29 답 17 장
46 − 29 = 17

시후는 종이배를 34개 접었습니다. 50개를 접으려면 몇 개를 더 접어야 하는지 □를 사용하여 식을 만들고 답을 구해 보세요.

식 34+□=50 답 16 개
50 − 34 = 16

냉장고에 달걀이 몇 개 있었는데 13개를 먹었더니 19개 남았습니다. 처음에 달걀은 몇 개 있었는지 □를 사용하여 식을 만들고 답을 구해 보세요.

식 □−13=19 답 32 개
19 + 13 = 32

28·29쪽

35 바르게 계산하기

물음에 답하세요.

어떤 수에 14를 더해야 할 것을 잘못하여 뺐더니 36이 되었습니다. 바르게 계산한 값을 구해 보세요.

잘못된 식을 세워 □를 구한 다음, 바르게 계산합니다.

잘못된 계산식 □ − 14 = 36 어떤 수 50
올바른 계산식 50 + 14 = 64 바르게 계산한 값 64

어떤 수에 8을 더해야 할 것을 잘못하여 뺐더니 18이 되었습니다. 바르게 계산한 값을 구해 보세요.

18 + 8 = 26
잘못된 계산식 □−8=18 어떤 수 26
올바른 계산식 26+8=34 바르게 계산한 값 34

어떤 수에서 20을 빼야 할 것을 잘못하여 더했더니 53이 되었습니다. 바르게 계산한 값을 구해 보세요.

53 − 20 = 33
잘못된 계산식 □+20=53 어떤 수 33
올바른 계산식 33−20=13 바르게 계산한 값 13

월 일

물음에 답하세요.

40에서 어떤 수를 더해야 할 것을 잘못하여 뺐더니 28이 되었습니다. 바르게 계산한 값을 구해 보세요.

40 − 28 = 12
잘못된 계산식 40−□=28 어떤 수 12
올바른 계산식 40+12=52 바르게 계산한 값 52

29에서 어떤 수를 빼야 할 것을 잘못하여 더했더니 56이 되었습니다. 바르게 계산한 값을 구해 보세요.

56 − 29 = 27
잘못된 계산식 29+□=56 어떤 수 27
올바른 계산식 29−27=2 바르게 계산한 값 2

63에서 어떤 수를 더해야 할 것을 잘못하여 뺐더니 49가 되었습니다. 바르게 계산한 값을 구해 보세요.

63 − 49 = 14
잘못된 계산식 63−□=49 어떤 수 14
올바른 계산식 63+14=77 바르게 계산한 값 77

30쪽

물음에 답하세요.

어떤 수에서 7을 빼면 14입니다. 어떤 수에서 7을 더하면 얼마일까요? (28)

□ − 7 = 14, 14 + 7 = 21
21+7=28

28에서 어떤 수를 더하면 36입니다. 28에서 어떤 수를 빼면 얼마일까요? (20)

28 + □ = 36, 36 − 28 = 8
28−8=20

어떤 수에서 14를 더하면 54입니다. 어떤 수에서 14를 빼면 얼마일까요? (26)

□ + 14 = 54, 54 − 14 = 40
40−14=26

56에서 어떤 수를 빼면 50입니다. 56에서 어떤 수를 더하면 얼마일까요? (62)

56 − □ = 50, 56 − 50 = 6
56+6=62

어떤 수에서 23을 더하면 71입니다. 어떤 수에서 23을 빼면 얼마일까요? (25)

□ + 23 = 71, 71 − 23 = 48
48−23=25

32·33쪽

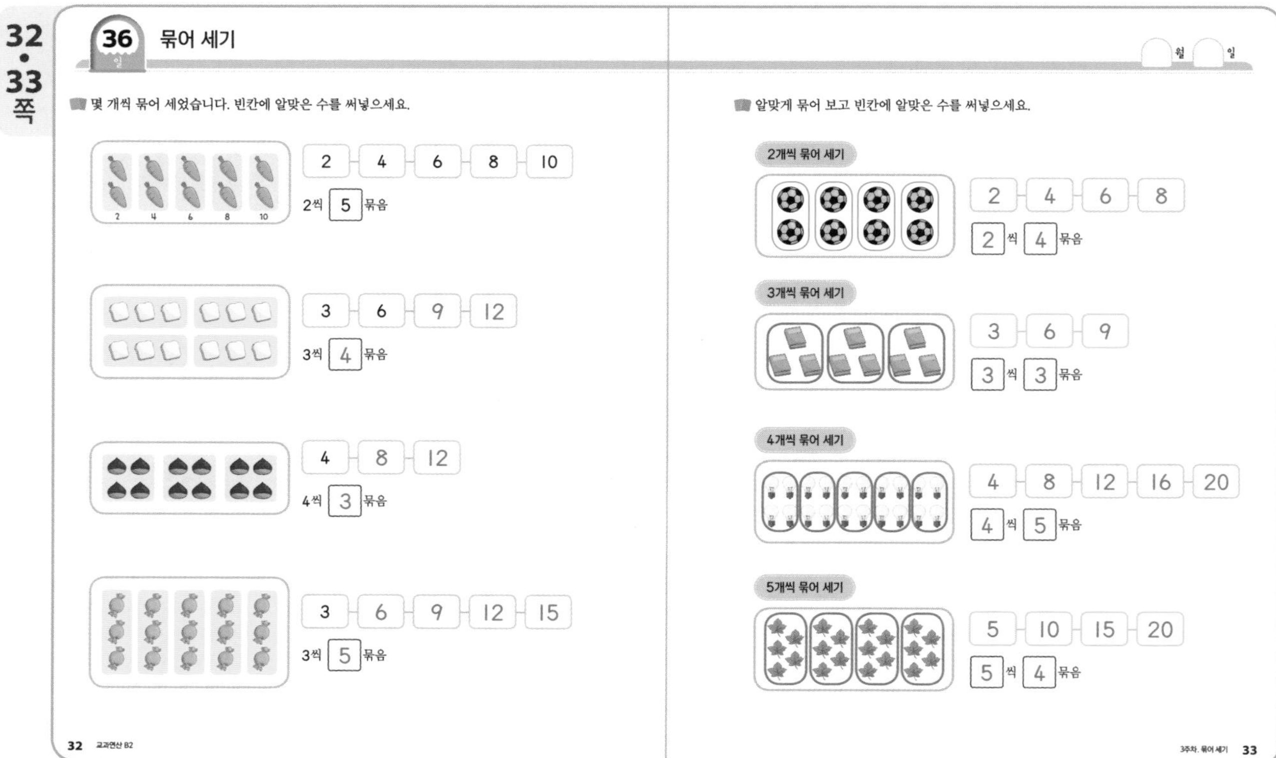

36 묶어 세기

몇 개씩 묶어 세었습니다. 빈칸에 알맞은 수를 써넣으세요.

2 - 4 - 6 - 8 - 10
2씩 5 묶음

3 - 6 - 9 - 12
3씩 4 묶음

4 - 8 - 12
4씩 3 묶음

3 - 6 - 9 - 12 - 15
3씩 5 묶음

32 교과연산 B2

월 일

알맞게 묶어 보고 빈칸에 알맞은 수를 써넣으세요.

2개씩 묶어 세기
2 - 4 - 6 - 8
2 씩 4 묶음

3개씩 묶어 세기
3 - 6 - 9
3 씩 3 묶음

4개씩 묶어 세기
4 - 8 - 12 - 16 - 20
4 씩 5 묶음

5개씩 묶어 세기
5 - 10 - 15 - 20
5 씩 4 묶음

3주차. 묶어 세기 33

34·35쪽

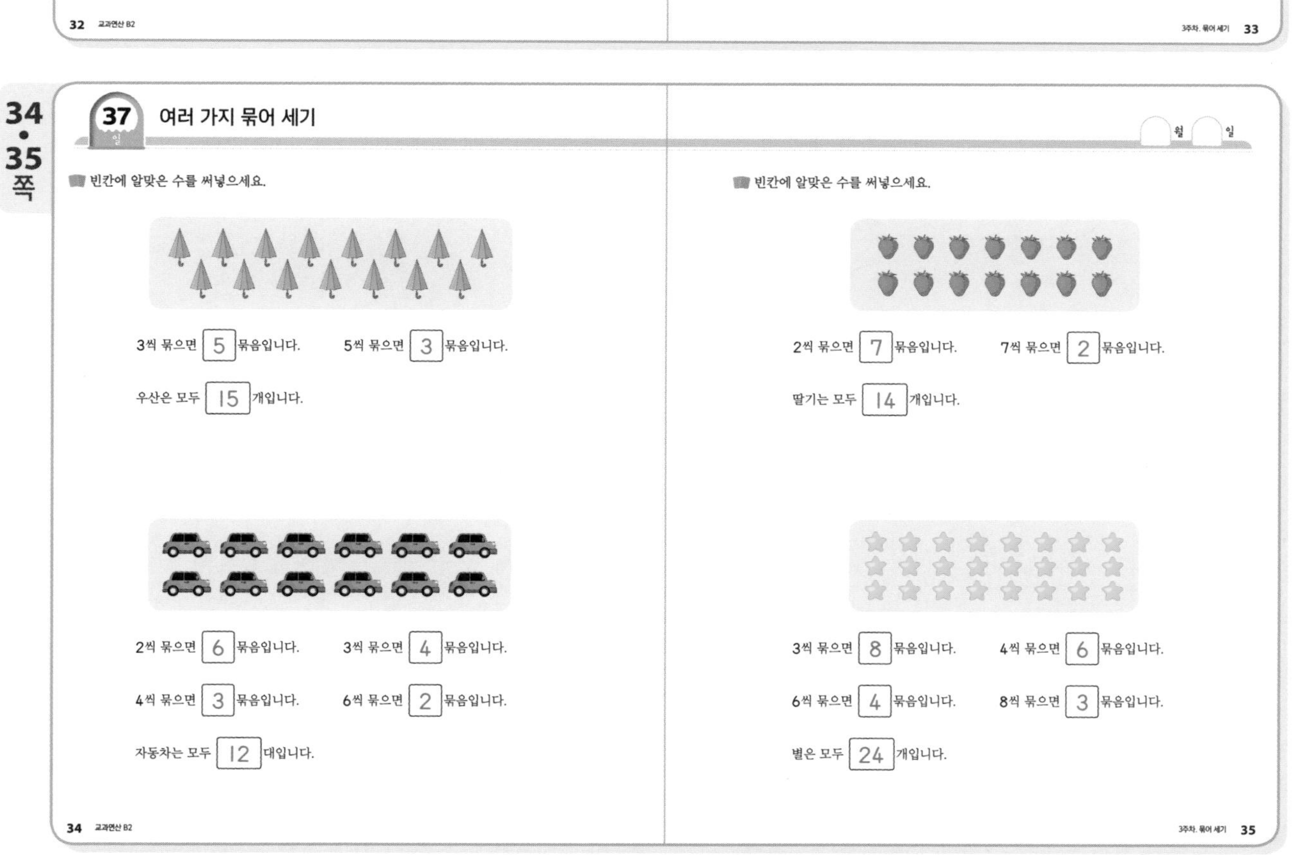

37 여러 가지 묶어 세기

빈칸에 알맞은 수를 써넣으세요.

3씩 묶으면 5 묶음입니다. 5씩 묶으면 3 묶음입니다.

우산은 모두 15 개입니다.

2씩 묶으면 6 묶음입니다. 3씩 묶으면 4 묶음입니다.

4씩 묶으면 3 묶음입니다. 6씩 묶으면 2 묶음입니다.

자동차는 모두 12 대입니다.

34 교과연산 B2

월 일

빈칸에 알맞은 수를 써넣으세요.

2씩 묶으면 7 묶음입니다. 7씩 묶으면 2 묶음입니다.

딸기는 모두 14 개입니다.

3씩 묶으면 8 묶음입니다. 4씩 묶으면 6 묶음입니다.

6씩 묶으면 4 묶음입니다. 8씩 묶으면 3 묶음입니다.

별은 모두 24 개입니다.

3주차. 묶어 세기 35

36·37쪽

38일 몇씩 몇 묶음

빈칸에 알맞은 수를 써넣으세요.

5씩 3 묶음이고, 모두 15 개입니다.

3씩 7 묶음이고, 모두 21 개입니다.

4씩 5 묶음이고, 모두 20 개입니다.

6씩 4 묶음이고, 모두 24 개입니다.

월 일

여러 가지 방법으로 몇씩 몇 묶음으로 나타내어 보세요.

2 씩 5 묶음
5 씩 2 묶음

2 씩 8 묶음
4 씩 4 묶음
8 씩 2 묶음

2 씩 9 묶음
3 씩 6 묶음
6 씩 3 묶음
9 씩 2 묶음

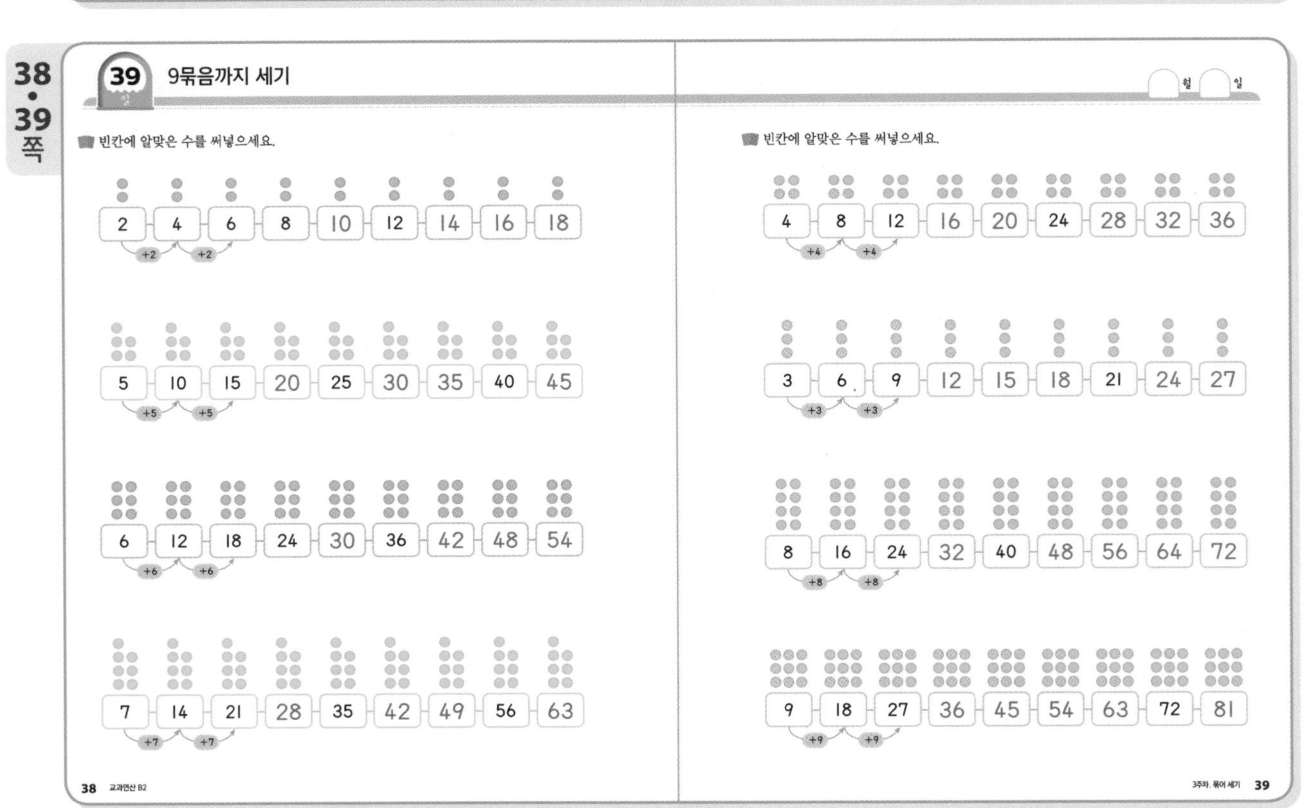
38·39쪽

39일 9묶음까지 세기

빈칸에 알맞은 수를 써넣으세요.

2, 4, 6, 8, 10, 12, 14, 16, 18 (+2, +2)

5, 10, 15, 20, 25, 30, 35, 40, 45 (+5, +5)

6, 12, 18, 24, 30, 36, 42, 48, 54 (+6, +6)

7, 14, 21, 28, 35, 42, 49, 56, 63 (+7, +7)

월 일

빈칸에 알맞은 수를 써넣으세요.

4, 8, 12, 16, 20, 24, 28, 32, 36 (+4, +4)

3, 6, 9, 12, 15, 18, 21, 24, 27 (+3, +3)

8, 16, 24, 32, 40, 48, 56, 64, 72 (+8, +8)

9, 18, 27, 36, 45, 54, 63, 72, 81 (+9, +9)

40·41쪽

40일 이야기하기

월 일

물음에 답하세요.

한 접시에 사과를 3개씩 놓으면 사과는 모두 몇 개일까요?

3—6—9—12

12 개

한 상자에 공을 6개씩 넣으면 공은 모두 몇 개일까요?

6—12—18

18 개

병아리 8마리의 다리는 모두 몇 개일까요?

2—4—6—8—10—12—14—16

16 개

사탕을 5개씩 묶으면 모두 몇 묶음일까요?

5 묶음

40 교과연산 B2

물음에 답하세요.

세발자전거 1대에는 바퀴가 3개 있습니다. 세발자전거 6대의 바퀴는 모두 몇 개일까요?

3 — 6 — 9 — 12 — 15 — 18

18 개

사탕이 5개씩 들어 있는 주머니가 4개 있습니다. 사탕은 모두 몇 개일까요?

5 — 10 — 15 — 20

20 개

개미의 다리는 6개입니다. 개미 5마리의 다리는 모두 몇 개일까요?

6 — 12 — 18 — 24 — 30

30 개

배가 한 상자에 7개씩 들어 있습니다. 세 상자에 들어 있는 배는 모두 몇 개일까요?

7 — 14 — 21

21 개

3주차. 묶어 세기 41

42쪽

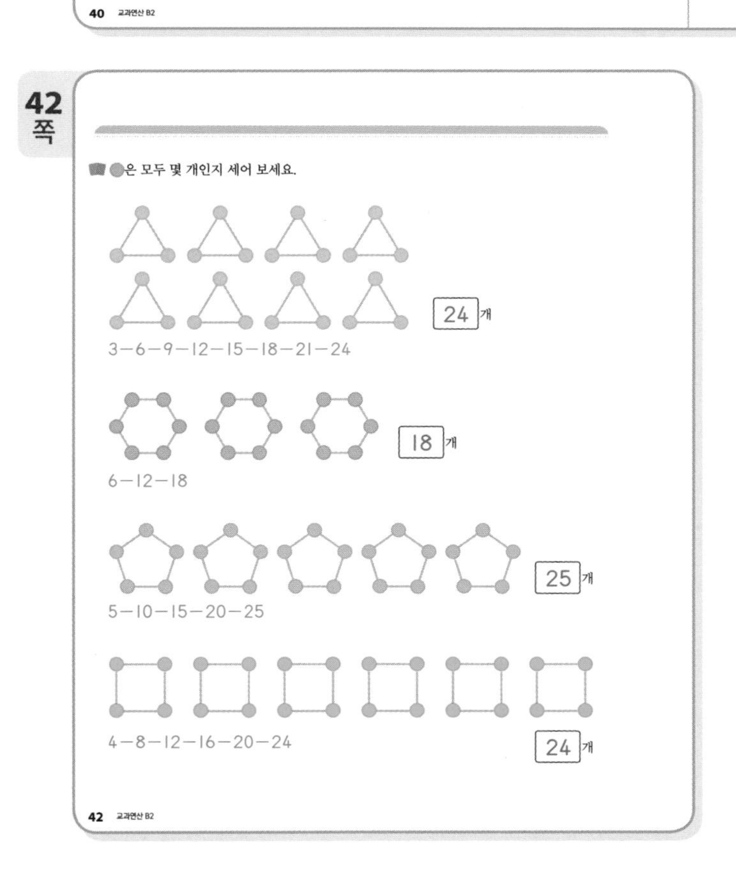

44·45쪽

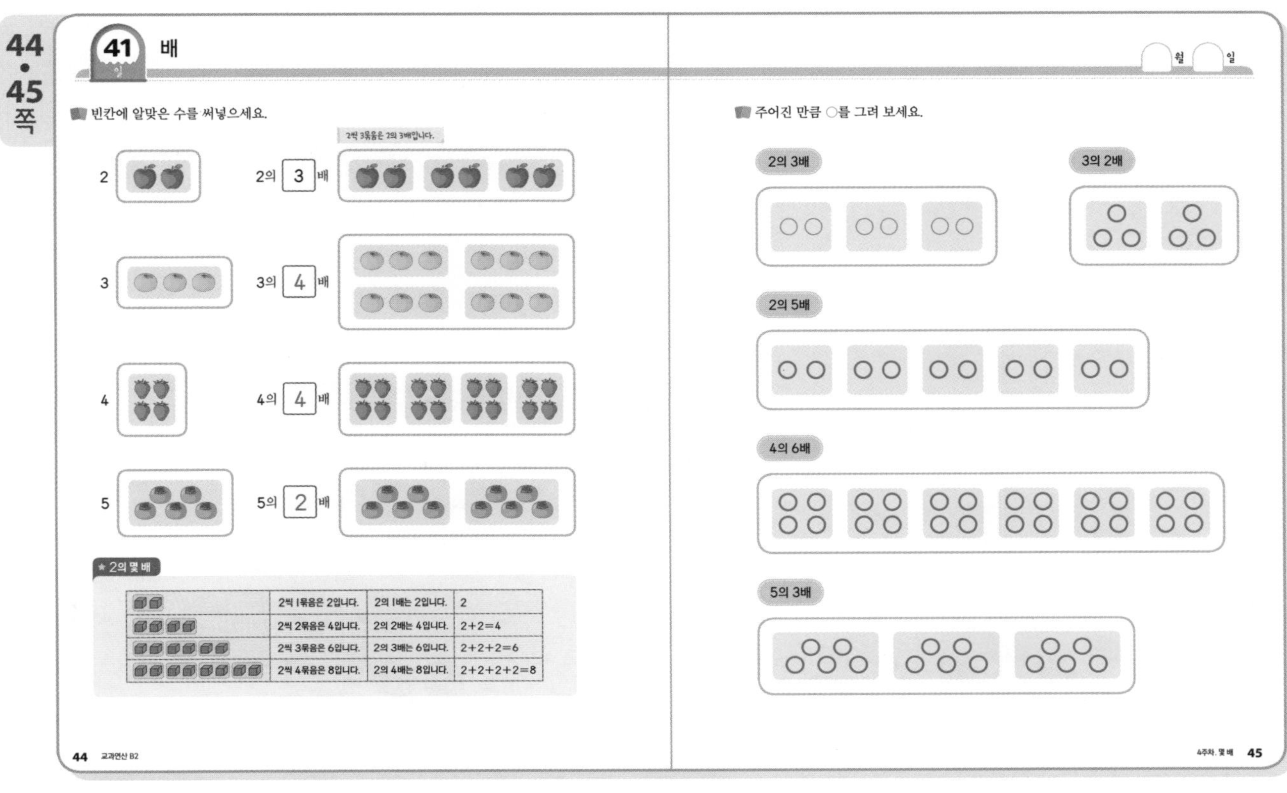

41일 배

빈칸에 알맞은 수를 써넣으세요.

2씩 3묶음은 2의 3배입니다.

2 — 2의 3 배

3 — 3의 4 배

4 — 4의 4 배

5 — 5의 2 배

★ 2의 몇 배

	2씩 1묶음은 2입니다.	2의 1배는 2입니다.	2
	2씩 2묶음은 4입니다.	2의 2배는 4입니다.	2+2=4
	2씩 3묶음은 6입니다.	2의 3배는 6입니다.	2+2+2=6
	2씩 4묶음은 8입니다.	2의 4배는 8입니다.	2+2+2+2=8

월 일

주어진 만큼 ○를 그려 보세요.

2의 3배

3의 2배

2의 5배

4의 6배

5의 3배

44 교과연산 B2

4주차. 몇 배 45

46·47쪽

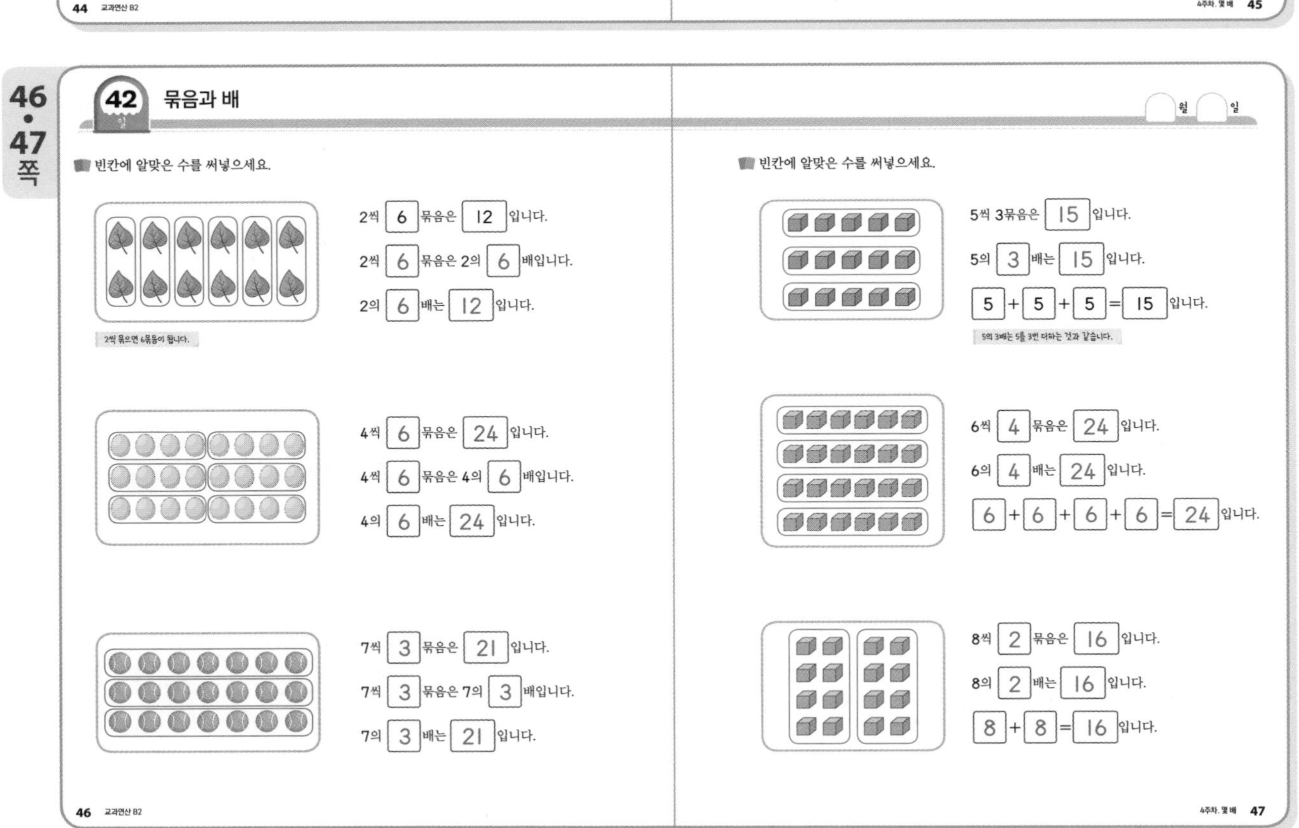

42일 묶음과 배

빈칸에 알맞은 수를 써넣으세요.

2씩 6 묶음은 12 입니다.

2씩 6 묶음은 2의 6 배입니다.

2의 6 배는 12 입니다.

2씩 묶으면 6묶음이 됩니다.

4씩 6 묶음은 24 입니다.

4씩 6 묶음은 4의 6 배입니다.

4의 6 배는 24 입니다.

7씩 3 묶음은 21 입니다.

7씩 3 묶음은 7의 3 배입니다.

7의 3 배는 21 입니다.

월 일

빈칸에 알맞은 수를 써넣으세요.

5씩 3묶음은 15 입니다.

5의 3 배는 15 입니다.

5 + 5 + 5 = 15 입니다.

5의 3배는 5를 3번 더하는 것과 같습니다.

6씩 4 묶음은 24 입니다.

6의 4 배는 24 입니다.

6 + 6 + 6 + 6 = 24 입니다.

8씩 2 묶음은 16 입니다.

8의 2 배는 16 입니다.

8 + 8 = 16 입니다.

46 교과연산 B2

4주차. 몇 배 47

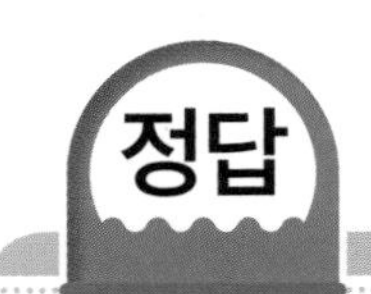

48 • 49 쪽

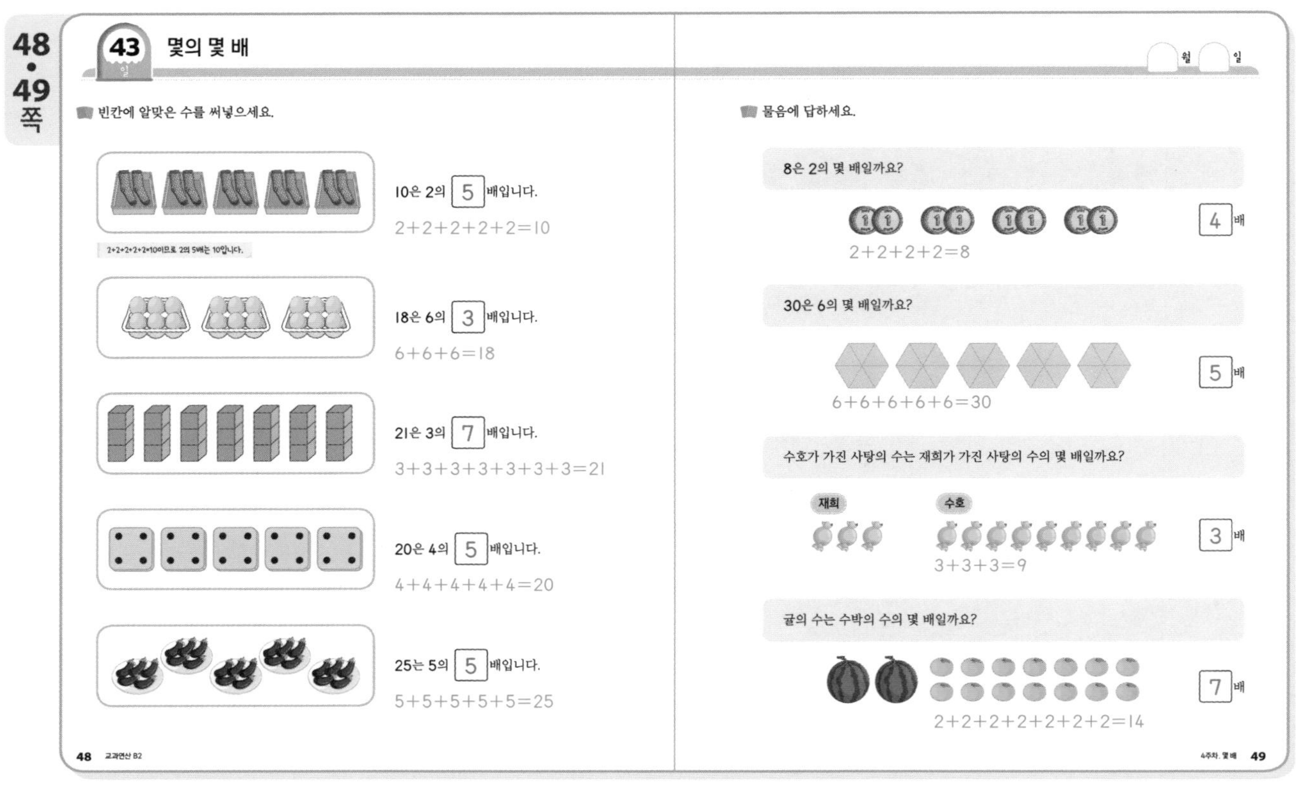

43 몇의 몇 배

월 일

빈칸에 알맞은 수를 써넣으세요.

10은 2의 [5] 배입니다.
2+2+2+2+2=10

2+2+2+2+2=10이므로 2의 5배는 10입니다.

18은 6의 [3] 배입니다.
6+6+6=18

21은 3의 [7] 배입니다.
3+3+3+3+3+3+3=21

20은 4의 [5] 배입니다.
4+4+4+4+4=20

25는 5의 [5] 배입니다.
5+5+5+5+5=25

물음에 답하세요.

8은 2의 몇 배일까요?
[4] 배
2+2+2+2=8

30은 6의 몇 배일까요?
[5] 배
6+6+6+6+6=30

수호가 가진 사탕의 수는 재희가 가진 사탕의 수의 몇 배일까요?
재희 수호
[3] 배
3+3+3=9

귤의 수는 수박의 수의 몇 배일까요?
[7] 배
2+2+2+2+2+2+2=14

48 교과연산 B2 4주차. 몇 배 49

50 • 51 쪽

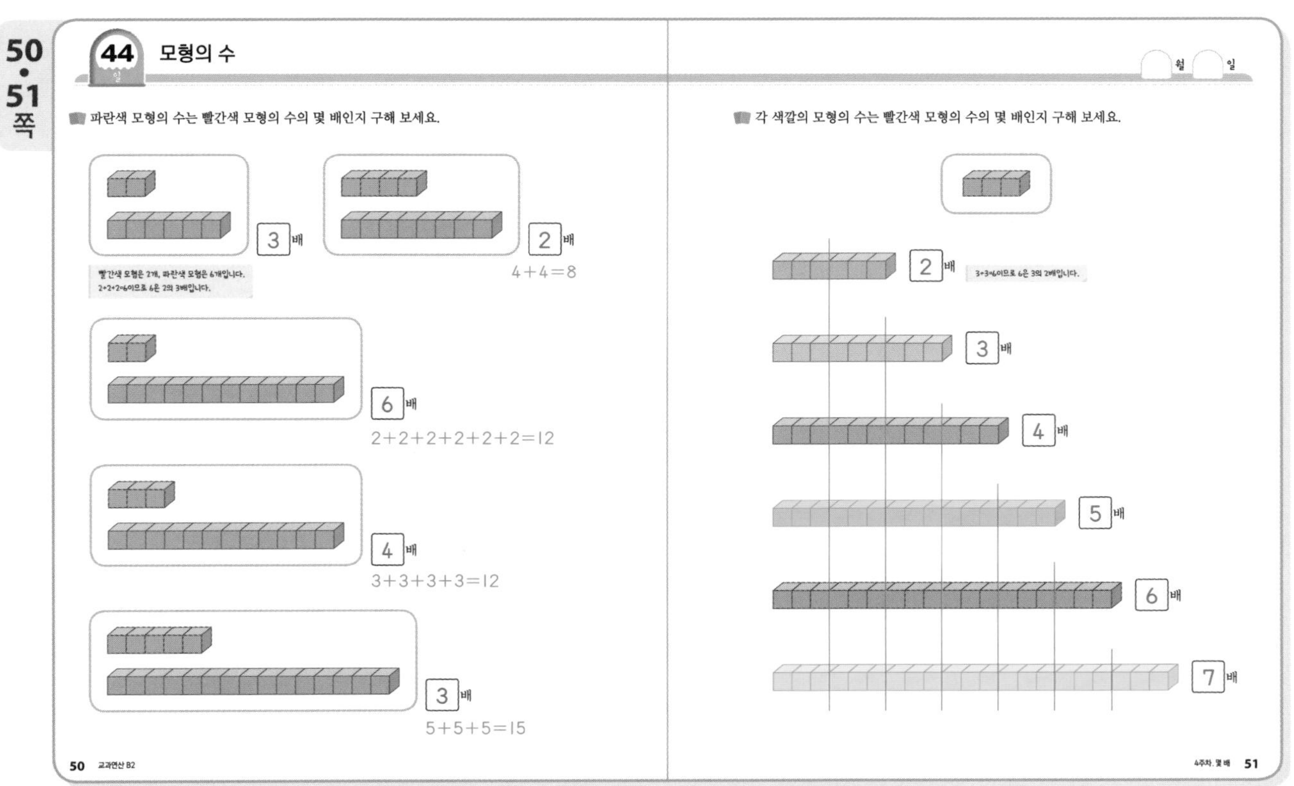

44 모형의 수

월 일

파란색 모형의 수는 빨간색 모형의 수의 몇 배인지 구해 보세요.

[3] 배

빨간색 모형은 2개, 파란색 모형은 6개입니다.
2+2+2=6이므로 6은 2의 3배입니다.

[2] 배
4+4=8

[6] 배
2+2+2+2+2+2=12

[4] 배
3+3+3+3=12

[3] 배
5+5+5=15

각 색깔의 모형의 수는 빨간색 모형의 수의 몇 배인지 구해 보세요.

[2] 배 3+3=6이므로 6은 3의 2배입니다.

[3] 배

[4] 배

[5] 배

[6] 배

[7] 배

50 교과연산 B2 4주차. 몇 배 51

52·53쪽

45 이야기하기

물음에 답하세요.

민규는 책을 2권 읽었습니다. 서연이는 민규의 4배만큼 책을 읽었습니다. 서연이는 책을 몇 권 읽었을까요?

2+2+2+2=8

2+2+2+2=8 　8 권

윤서의 나이는 4살입니다. 현서의 나이는 윤서의 나이의 3배입니다. 현서의 나이는 몇 살일까요?

4+4+4=12 　12 살

노란색 끈의 길이는 8cm입니다. 파란색 끈의 길이는 노란색 끈의 길이의 3배입니다. 파란색 끈은 몇 cm일까요?

8+8+8=24 　24 cm

은호는 연필 3자루를 가지고 있습니다. 시유는 은호의 6배만큼 연필을 가지고 있습니다. 시유가 가진 연필은 몇 자루일까요?

3+3+3+3+3+3=18 　18 자루

월 일

물음에 답하세요.

식탁 위에 바나나가 9개, 사과가 3개 있습니다. 바나나의 수는 사과의 수의 몇 배일까요?

3을 몇 번 더하면 9가 되는지 구합니다.

3+3+3=9 　3 배

책장에 동화책이 5권, 만화책이 25권 꽂혀 있습니다. 만화책의 수는 동화책의 수의 몇 배일까요?

5+5+5+5+5=25 　5 배

주원이 삼촌의 나이는 27살, 주원이의 나이는 9살입니다. 주원이 삼촌의 나이는 주원이의 나이의 몇 배일까요?

9+9+9=27 　3 배

유나는 색종이를 6장 가지고 있고 예준이는 24장 가지고 있습니다. 예준이가 가진 색종이의 수는 유나가 가진 색종이의 수의 몇 배일까요?

6+6+6+6=24 　4 배

54쪽

물음에 답하세요.

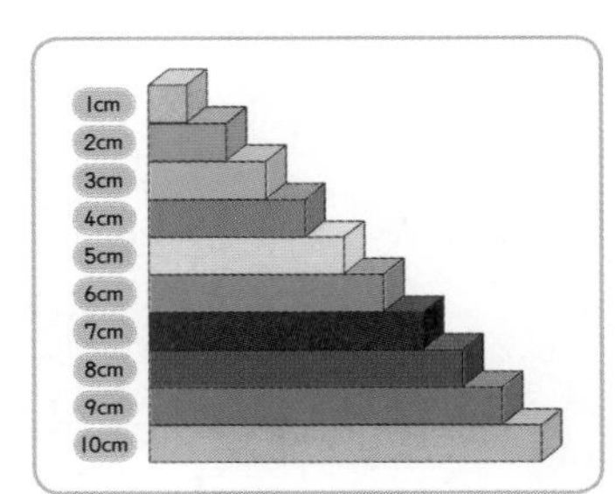

연두색 막대의 길이는 흰색 막대의 길이의 몇 배일까요? 　3 배

1+1+1=3

갈색 막대의 길이는 빨간색 막대의 길이의 몇 배일까요? 　4 배

2+2+2+2=8

파란색 막대의 길이는 연두색 막대의 길이의 몇 배일까요? 　3 배

3+3+3=9

주황색 막대의 길이는 빨간색 막대의 길이의 몇 배일까요? 　5 배

2+2+2+2+2=10

정답

56·57쪽

46일 묶음과 배, 곱하기

■ 곱셈식으로 나타내어 보세요.

3, 6, 9, 12, 15, 18, 21

3의 [7]배 ➡ [3]×[7]=[21]

6, 12, 18, 24, 30

6씩 [5]묶음 ➡ [6]×[5]=[30]

9, 18, 27, 36

9+9+9+9=[36] ➡ [9]×[4]=[36]

★ 곱셈식

3의 4배를 덧셈식으로 나타내면 3+3+3+3, 곱셈식으로 나타내면 3×4입니다.
3×4는 3 곱하기 4라고 읽습니다.

3+3+3+3=12 ➡ 3×4=12
3×4=12는 3 곱하기 4는 12와 같습니다라고 읽습니다.
3과 4의 곱은 12입니다.

월 일

■ 다른 것 하나에 ×표 하세요.

2의 3배	2+2+2
2+3 (×)	2씩 3묶음

4×2	4+4
4씩 3묶음 (×)	4의 2배

6×4	6씩 4묶음
6의 4배	4+4+4 (×)

7의 3배	7+7+7
7씩 3묶음	7×7×7 (×)

5씩 2묶음	5×5 (×)
5+5	5의 2배

2+2+2+2	2씩 4묶음
2의 4배	4×4 (×)

9+3 (×)	9의 3배
9씩 3묶음	9×3

4씩 4묶음	4×4×4×4 (×)
4+4+4+4	4의 4배

58·59쪽

47일 곱셈식으로 나타내기

■ 덧셈식과 곱셈식으로 나타내어 보세요.

덧셈식 [4]+[4]+[4]=[12]
곱셈식 [4]×[3]=[12]

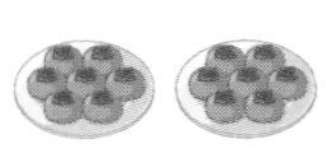

덧셈식 [7]+[7]=[14]
곱셈식 [7]×[2]=[14]

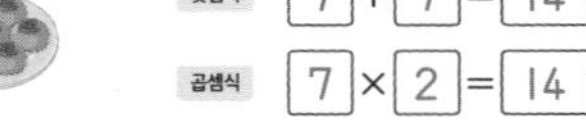

덧셈식 [5]+[5]+[5]+[5]+[5]=[25]
곱셈식 [5]×[5]=[25]

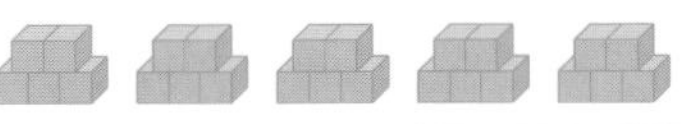

덧셈식 [2]+[2]+[2]+[2]+[2]+[2]=[12]
곱셈식 [2]×[6]=[12]

월 일

■ 빈칸에 알맞은 그림을 그리고 곱셈식으로 나타내어 보세요.

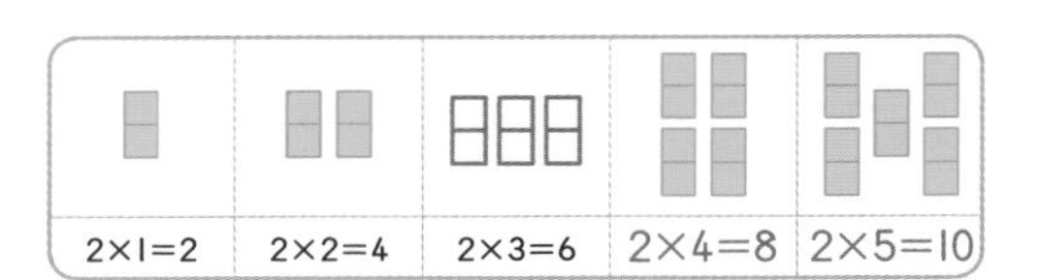

2×1=2	2×2=4	2×3=6	2×4=8	2×5=10

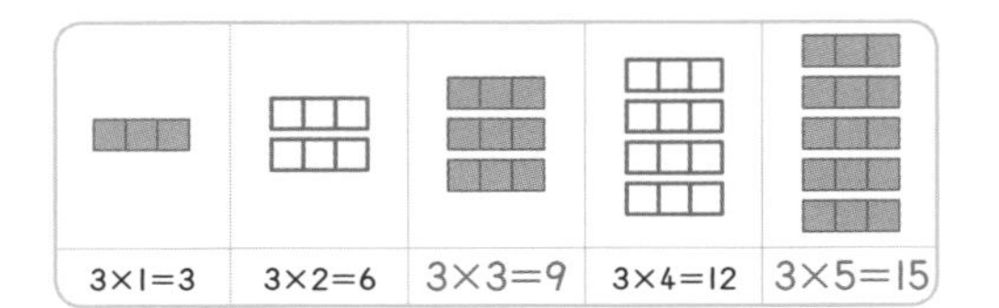

3×1=3	3×2=6	3×3=9	3×4=12	3×5=15

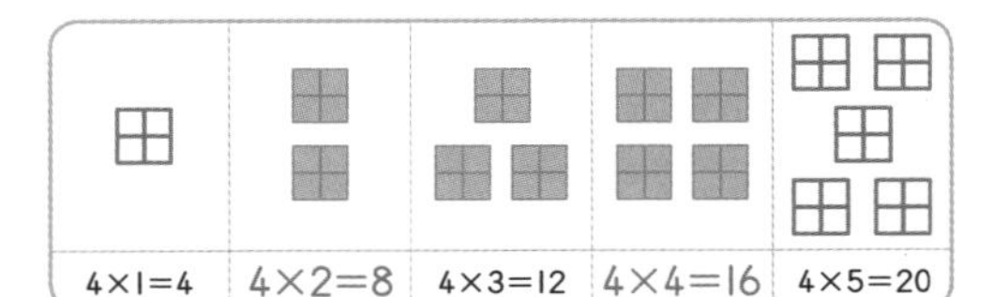

4×1=4	4×2=8	4×3=12	4×4=16	4×5=20

60·61쪽

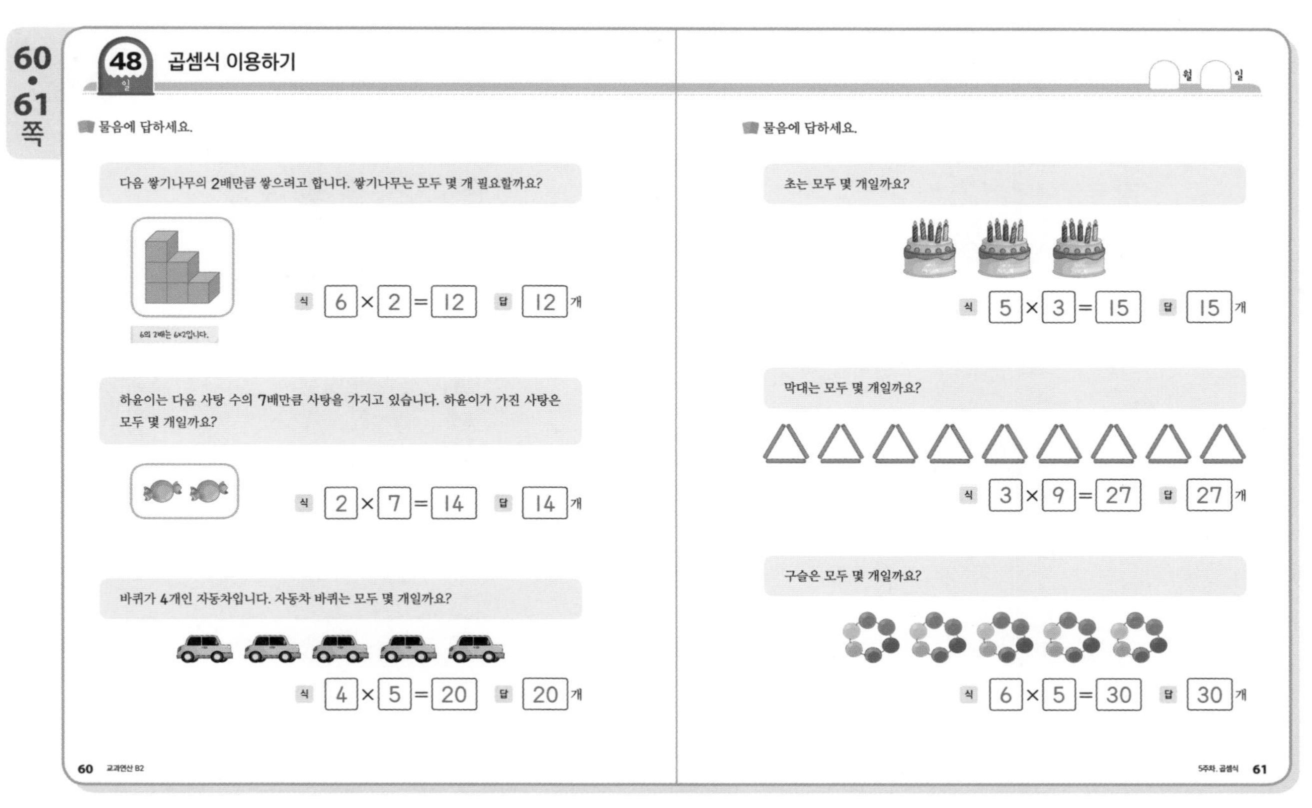

48일 곱셈식 이용하기

월 일

물음에 답하세요.

다음 쌓기나무의 2배만큼 쌓으려고 합니다. 쌓기나무는 모두 몇 개 필요할까요?

식 6 × 2 = 12 답 12 개

6의 2배는 6×2입니다.

하윤이는 다음 사탕 수의 7배만큼 사탕을 가지고 있습니다. 하윤이가 가진 사탕은 모두 몇 개일까요?

식 2 × 7 = 14 답 14 개

바퀴가 4개인 자동차입니다. 자동차 바퀴는 모두 몇 개일까요?

식 4 × 5 = 20 답 20 개

물음에 답하세요.

초는 모두 몇 개일까요?

식 5 × 3 = 15 답 15 개

막대는 모두 몇 개일까요?

식 3 × 9 = 27 답 27 개

구슬은 모두 몇 개일까요?

식 6 × 5 = 30 답 30 개

60 교과연산 B2

5주차. 곱셈식 61

62·63쪽

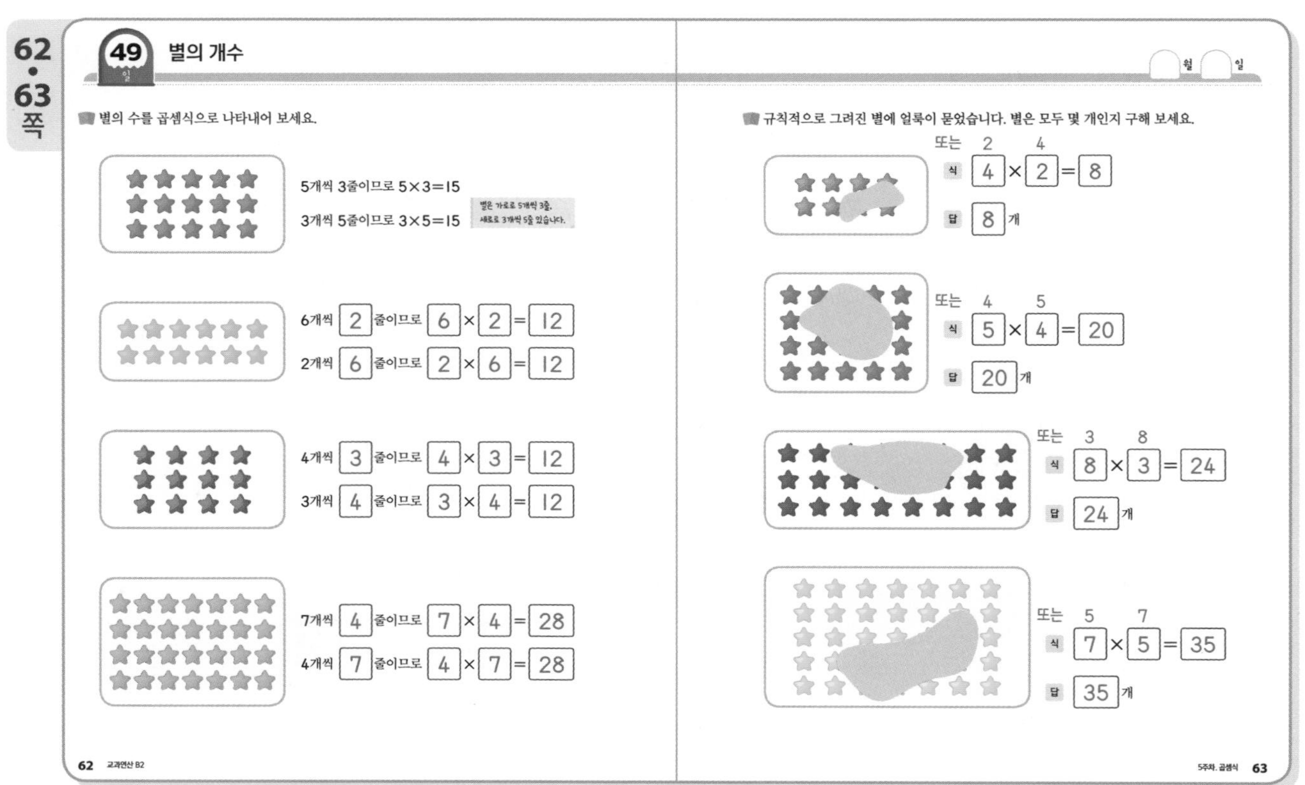

49일 별의 개수

월 일

별의 수를 곱셈식으로 나타내어 보세요.

5개씩 3줄이므로 5×3=15

3개씩 5줄이므로 3×5=15

별은 가로로 5개씩 3줄, 세로로 3개씩 5줄 있습니다.

6개씩 2 줄이므로 6 × 2 = 12

2개씩 6 줄이므로 2 × 6 = 12

4개씩 3 줄이므로 4 × 3 = 12

3개씩 4 줄이므로 3 × 4 = 12

7개씩 4 줄이므로 7 × 4 = 28

4개씩 7 줄이므로 4 × 7 = 28

규칙적으로 그려진 별에 얼룩이 묻었습니다. 별은 모두 몇 개인지 구해 보세요.

식 4 × 2 = 8 (또는 2 4) 답 8 개

식 5 × 4 = 20 (또는 4 5) 답 20 개

식 8 × 3 = 24 (또는 3 8) 답 24 개

식 7 × 5 = 35 (또는 5 7) 답 35 개

62 교과연산 B2

5주차. 곱셈식 63

64·65쪽

50일 여러 가지 곱셈식

월 일

여러 가지 곱셈식으로 나타내어 보세요.

5 × 2 = 10
2 × 5 = 10

7 × 3 = 21
3 × 7 = 21

5 × 3 = 15
3 × 5 = 15

2 × 8 = 16
4 × 4 = 16
8 × 2 = 16

여러 가지 곱셈식으로 나타내어 보세요.

4 × 3 = 12   2 × 6 = 12
3 × 4 = 12   6 × 2 = 12

6 × 3 = 18   2 × 9 = 18
3 × 6 = 18   9 × 2 = 18

66쪽

빈칸에 알맞은 수를 써넣으세요.

2를 4번 더해도 8,
4를 2번 더해도 8입니다.

6		
2	2	2
3	3	

2 × 3 = 6
3 × 2 = 6

2+2+2=6
3+3=6

8			
2	2	2	2
4	4		

2 × 4 = 8
4 × 2 = 8

10				
2	2	2	2	2
5	5			

2 × 5 = 10
5 × 2 = 10

15				
3	3	3	3	3
5	5	5		

3 × 5 = 15
5 × 3 = 15

20				
4	4	4	4	4
5	5	5	5	

4 × 5 = 20
5 × 4 = 20

21						
3	3	3	3	3	3	3
7	7	7				

3 × 7 = 21
7 × 3 = 21

하루 한 장 75일
집중 완성

교과
연산

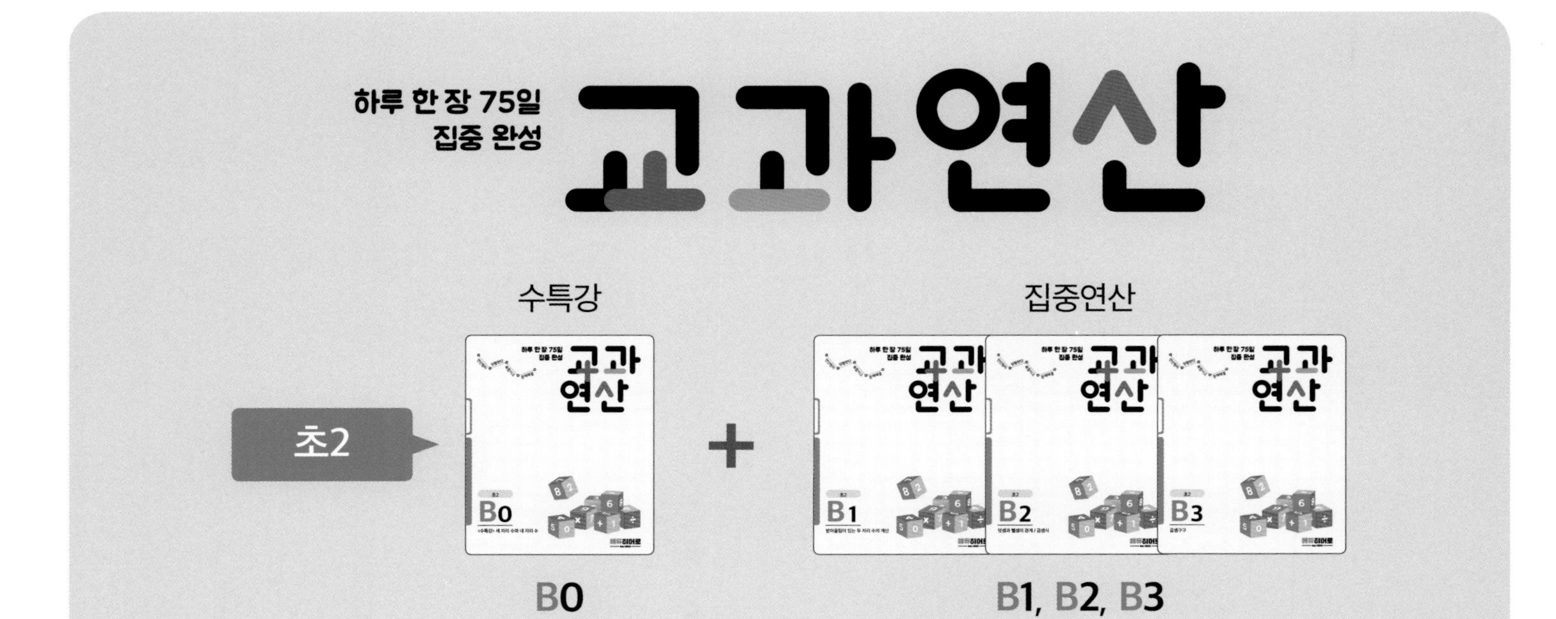

"연산을 이해하려면 수를 먼저 이해해야 합니다."

"계산은 문제를 해결하는 하나의 과정입니다."

"교과연산은 상황을 판단하는 능력을 길러줍니다."